백범의 길

일러두기

- 역사·정치 분야 전문가들이 쓴 이 책의 내용 중에는 백범김구선생기념사업협회의 공식 입장과 다른 것이 있을 수 있습니다.
- 인명과 지명 등의 외래어는 최대한 외래어표기법에 맞추어 표기했습니다.
- 단행본, 신문, 잡지는 『 』로, 시와 기사, 논문, 그림은 「 」, 단체 이름과 비명은 ' '로 표시했습니다.

백범의 길

조국의 산하를 걷다

집필 / 김명섭 심지연 도진순 신복룡 이희환

기획 / (사)백범김구선생기념사업협회

서울 · 경기 · 인천 편

arte

김구의 숨결,
얼과 혼을 찾아가는 먼 길

멀고도 험난한 노정이었다. 길도, 안내인도, 등불도 없었다. 김구는 스스로 길을 내고 등불을 밝히며 고단한 발걸음을 내디뎠다. "우리나라 대한의 완전한 자주독립"을 소원하며 보이지도 않는 저 아득한 곳을 향해 걷고 또 걸었다. 조국의 산하와 중국 대륙 곳곳에 피땀으로 얼룩진 얼과 혼을 새겼다.

우리는 그 길을 되밟기로 했다. 발자취를 더듬고 흔적을 헤아리며 김구의 숨결과 체온을 느끼려 했다. "흙 속에 저 바람 속에" 숨어 있고 깃들어 있을 작은 무엇이라도 찾아내려 애를 썼다. "진실은 현장에 있다"는 신념으로 김구가 걸어간 길 위에서 당시의 시대상과 그의 행동 그리고 사상을 되짚어보려 했다. 면밀한 취재로 잘못 알려진 사실이 있으면 바로잡으려 노력했다. 『백범일지』를 모태로 한 다양한 연구서와 교양서가 나와 있지만, 김구의 발자취를 따라가며 행적을 더듬은 역사 탐방기는 이 책이 처음이다. 연보도 자세하게 기록했다. 독서계는 물론 학계에도 자극을 주지 않을까 싶다.

김구는 행동하는 이상주의자, 꿈꾸는 리얼리스트였다. 그에게는 누구보다도 많은 신발이 필요했다. 그 신발들은 빨리 닳고 해어졌다. 그의 삶은 유랑과 방랑, 도피와 은신의 연속이었다. 동가식서가숙東家食西家宿이 그의 숙명이었다. 하여 신발은 종종 흙투성이였고, 옷자락은 밤이슬에 젖어 있기 일쑤였다.

김구가 세우고 남긴 이정표里程標를 좇아가는 이 작업엔 역사학계와 정치학계의 전문 연구자 여덟 분이 참여했다. 저마다 권역을 나누고 사진도 직접 찍었다. '따로 또 같이'라는 쉽지 않은 작업이었다. 8인 8색의 개성을 갖추었음에도 공들여 쓴 글을 덜어 내고 몇 번이나 문장을 손봐 가며 호흡을 맞춰 준 필자들에게 마음으로부터 감사를 드린다.

이번 국내 편에 이어 김구 서거 70주기 및 대한민국임시정부 수립 100주년인 2019년에는 한국과 중국 학자들의 합작으로 답사기 2탄 중국 편을 낼 계획이다. 남북 관계가 개선되면 선생이 태어나고 자랐으며 망명 전까지 머물면서 일제에 항거했던, 또 환국 이후 통일을 열망하며 삼팔선을 넘었던 북녘 땅 답사기를 3탄으로 내며 이 작업을 완결 지을 날이 꼭 오리라고 믿는다.

쉽고 읽기 편한 인문학 에세이를 지향한 이 책이 어느 여행길, 누군가의 손에 들려지기를 기대한다. 김구의 생애와 사상을 세상에 널리 알리며 독자에게 오래도록 사랑받는 책이 되기를 소망한다.

백범김구선생기념사업협회 회장
김형오

당신은
그곳에 가 보았는가?

공자께서 말씀하시기를, "사람이 태어나면서부터 진리를 아는 것生而知之
이 가장 으뜸이다"라고 하셨지만 그것은 성인의 경지에서 있을 수 있는 일이
요, 우리 같은 필부들이야 배워서 알 뿐學而知之이다. 그렇다면 우리는 무엇으
로부터 인생을 배우나? 부모와 친구를 통해, 혹은 학교와 사회에서 여러 경
로를 통해 인생을 배우게 되지만 한창 감수성이 예민할 때 읽은 어느 위인의
행적이나 말씀은 젊은이의 일생을 지배한다. 설령 책을 읽은 대목은 기억에
서 사라질지라도 그때 읽은 감동은 그의 무의식 속에 살아 작용한다.

그 많은 독서 가운데에서도 역사와 전기는 더욱 그렇다. 도대체 역사란 무
엇일까? 역사란 결국 사람이 살다 간 모습이다. 따라서 인간의 행적을 더듬
어 보고 그를 통하여 오늘을 살아가는 교훈을 찾는 것이 곧 역사학이다. 이러
한 역사학 가운데 한 분과인 전기는 인간의 삶을 비춰 주는 가장 훌륭한 거
울로서, 많은 후세인의 삶에 영향을 끼쳐 왔다. 민족과 국가의 구원자로서 영
웅신화는 역사학보다 더 오래되었으며, 신화는 격동기를 맞이할 때마다 그
모습을 바꾸어 우리에게 투영되었다. 그 많은 역사와 전기, 영웅 신화 들을
통해 국가에 대한 사랑과 절의, 장렬한 죽음, 빼어난 재주, 가혹한 운명, 적과
동지의 만남과 헤어짐, 그리고 어떻게 사는 것이 역사의 칭송을 받는가를 보
고 배운 젊은이들은 알게 모르게 그런 삶을 향하여 가기 마련이다.

『백범의 길』은 김구라는 한 인생의 역정을 더듬어 감으로써 사람 냄새 나는 그의 모습을 젊은이들에게 보여 주고자 마련된 전기이자 답사기이다. 또한 김구가 남긴 발자취를 따라 전국 각지를 필자들이 몸소 찾아보고 그에 얽힌 이야기들을 모아 그의 인생을 다시 구성해 보고자 했다. 따라서 학술적인 논쟁이나 경직된 사상이나 철학보다는 인문학적 에세이의 형식을 빌려 글을 전개해 나가고자 했다.

젊은이들에게 '한국사에서 누구를 가장 존경하는가?'라는 질문을 던지면 충무공 이순신이나 세종이 앞뒤를 다투고 세 번째는 변함없이 김구가 따른다. 이것이 한국 위인전의 서열로 굳어졌다. 김구는 왜 우리의 가슴에 그리 깊이 각인되었는가? 그것은 그의 삶과 투쟁이 훌륭한 바도 있지만『백범일지』라고 하는 불후의 자서전 때문일 것이다. 그런데 자서전을 남긴 위인이 한둘이 아니요, 그 시대를 이끈 영웅이 김구뿐이 아닌데 왜 그토록 그의 자서전이 우리의 가슴을 울리는 것일까?

자서전은 역사의 현장에 있었던 사람의 실제 기록이라는 점에서 매우 중요한 1차 사료임에는 틀림이 없다. 그러나 인간은 누구에게나 자기를 드러내 보이고 싶은 의욕이 있고, 자신의 기록을 후세에 남기려고 붓을 들었을 때 자신의 문제에 관하여 알게 모르게 과장하거나 자기중심적일 수 있다. 뿐만 아니라 자서전은 일기가 아니라 오랜 세월이 흐른 뒤에 회상의 형식을 빌려 쓰는 것이기 때문에 일시, 장소, 인물, 사건의 전개에서 악의 없이 오류를 저지르는 경우가 흔히 있다.

아마도 김구의 『백범일지』가 백 년의 애독서가 된 것은 위와 같은 자서전의 함정에 빠지지 않은 진솔한 고백이기 때문일 것이다. 역신逆臣의 후손으로 황해도 산골에 숨어 살아야 했던 신분의 비극을 딛고 일어나, 한 나라의 수반이 되기까지의 역사를 그리면서 그는 담담했고, 겸손했으며, 정직했고, 교만하지 않았다. 그것이 쉬운 일이 아니었을 것이다. 그가 겪었던 신분적 아픔이나 인간의 속성俗性에 대한 꾸밈없는 표현과 정확한 사건 묘사는 독립운동사의 1차 사료가 되기에 손색이 없다.

만약 김구의 고백록이 격동의 시대를 살았던 한 민족지도자의 사료적 가치에만 머물렀더라면 그 책은 그리 우리의 가슴을 울리지 않았을 것이다. 김구의 『백범일지』는 사료라기보다는 철학서요, 경세서이며 고백 문학의 백미白眉이다. 철학적 고뇌를 토로하여 세상을 깨우친 고백록은 많지만 정치가의 고백록으로서 김구의 책만큼 깨우침과 자성을 주는 책은 그리 많지 않다. 우리 시대에 그 글을 읽고 가슴 울렁이지 않은 사람이 어디 있으랴?

세상이 어렵다 보니 영웅이 그리운 시절이 많았다. 역설적으로 영웅이 많았던 시절의 우리네 삶은 고단했다. 그 영웅과 위인들이 우리의 모든 고통을 풀어 준 것은 아니었지만 그들이 없었더라면 우리의 삶은 더 고통스러웠을 것이고 그 고통에서 해방되는 데 시간이 더 걸렸을 것이다. 그런 점에서 영웅의 출현은 고마우면서도 서글픈 일이다.

역사를 돌아보면, 영웅이 역사를 이끄는 것이 아니라 시대의 여망에 따라 영웅은 출현할 뿐이다. 역사에 영웅이 없었던 적도 없지만 그렇다고 해서 영웅이 넘쳐 나는 적도 없었다. 그러므로 영웅사관은 여기에서 멈추어야 한다. 때로 영웅이 그 시대 민초들에게 축복일 수 있지만 영웅은 시대의 산물일 뿐이다. 김구도 그 가운데 한 명일 것이다.

이제 영웅은 우리의 곁으로 내려와야 한다. 위대한 영웅의 행적이 우리 같은 필부로서는 따라갈 수도 없고 바라볼 수도 없는 것이라면 그것은 우상이거나 종교이지 영웅전이 아니다. 젊은이들에게 영웅들의 인간적인 모습을 들려줌으로써 그들의 꿈을 키워 주는 것이 영웅전의 가치이다. 사람들은 나와 닮지 않은 영웅에 대하여 친근감을 느끼지 않는다. 그래서 우리는 김구를 하늘에서 떨어진 사람처럼 그리려 하지 않았다.

이 책에 실린 글의 필자들은 마치 탐사하듯 그가 갔던 길을 걸어 보았다. 이는 곧 "당신은 그곳에 가 보았는가?"라는 헤로도토스Herodotus의 질문에 대답하고자 함이었다. 그는 자신이 가 보지 않은 곳을 거의 쓰지 않았다. 따라서 그의 『역사*The Histories*』는 기행문이자 지리학이다. 헤로도토스가 역사학의 성립에 끼친 공로는 신의 피조물로서의 사람이 아니라 사람 그 자체가 살아가는 모습을 직접 보고 그리고자 했다는 점이다. 그는 선학先學이 없는 역사학을 최초로 학문화함으로써 키케로Cicero로부터 '역사학의 아버지'라는 칭호를 들었다.

우리가 그토록 '장소'에 주목한 것은 역사가에게는 현장감이 중요하기 때문이다. 역사의 현장은 영감을 준다. 탐방객들 사이에 '아는 만큼 보인다'는 말이 유행하지만, 그보다는 '사랑하는 만큼 보인다'는 말이 맞다고 느끼기에, 우리는 김구를 사랑하는 사람들이 그의 발자취도 사랑하기를 바라는 마음에서 이 글을 썼다. 역사가든 탐방객이든, 아니면 어느 위인을 추종하는 사람이든 그들의 일차적 동기는 주제에 대한 애정이다. 그리고 그 애정의 근원은 "나도 거기에 가 보았어I Was There"라는 일체감일 것이다.

이 글을 쓰면서 우리 답사 팀은 가 본 곳과 가 보지 못한 곳이 있었고, 앞으로 더 가야 할 곳이 있다. 남한의 지역은 거의 모두 살펴보았다. 그가 성장기와 청년기에 돌아본 곳, 이를테면 동학에 관계된 지역과 청년 시절에 교회 활동을 했던 서울 근교의 지역과 투옥 생활을 했던 인천감옥과 서대문감옥도 살펴보았다. 그리고 환국과 더불어 시작된 정치적인 행보와 회상과 보은報恩의 여정도 따라가 보았다. 세월이 흘러 김구의 흔적은 희미해졌지만 체취는 여전히 남아 있었다. 그의 노을은 예상했던 대로 처연悽然했다. 그곳이 슬픈 곳이든, 기쁜 곳이든, 아니면 행복한 곳이든 고통스러운 곳이든 모두가 우리에게는 묵상하며 되돌아볼 곳들이었다.

김구의 발자취를 따라 걷던 우리의 발길은 이제 여기에서 잠시 멈추어야 한다. 남은 곳은 김구가 독립투쟁기를 보낸 중국의 여러 곳이다. 우리는 다시 숨을 고르고 그가 바람결에 머리를 빗고 빗물에 몸을 씻으며櫛風沐雨, 식은 밥을 먹고 이슬 잠을 자며風餐露宿 조국의 광복을 위해 고뇌하던 대륙으로 떠날 것이다. 그 길은 더 멀고 험난할 터이지만 그만큼 더 보람 있고 감동적일 것이라는 희망 속에 우리는 피로를 떨칠 것이다.

신복룡

서울·경기·인천 편

차례

김명섭

연세대학교 정치외교학과 교수

경교장

서울 서대문 근처에 위치한 경교장京橋莊은 해방 이후 충칭에서 상하이를 거쳐 귀국한 김구가 거주했던 곳이다. 1945년 12월 말 모스크바삼상회의 공동성명이 발표되자 경교장은 당시 이승만의 돈암장과 더불어 신탁통치반대운동의 중심지가 되었다. 해방 정국에서 김구의 정치 활동은 경교장을 중심으로 이루어졌고, 대한민국임시정부 국무위원회, 한국독립당 회의 등도 이곳에서 개최되었다. 1948년 4월 김구는 경교장에서 평양행을 반대하는 군중을 향해 연설한 후, 김일성과의 담판을 위해 평양으로 출발했다. 평양에서 돌아온 후, 김구는 이곳에 머물면서 5·10총선에 불참했다. 김구는 이 건물 2층에서 거주하

백범의 길 _____ 김명섭

며 집무하다가 1949년 6월 26일 안두희의 흉탄을 맞고 서거했
다. 김구 서거 이후 경교장은 역사적 의미를 지닌 공간으로 보
존되지 못한 채 각국 대사관과 병원의 부속 건물로 사용되면서
원형이 훼손되었다. 2005년 국가 사적으로 지정되어 현재 일
반에 공개되고 있다.

종로구 평동에 위치한 경교장 (사적 제 465호)

경교장 이전의 죽첨장

경교장의 원래 이름은 '죽첨장竹添莊'이었다. 건물을 세운 최창학 (崔昌學, 1891~1959)은 평안북도에서 태어나 1920년대에 삼성금광을 창설하여 천만장자가 된 사람이었다. 최창학은 일제강점기 민영휘, 김 성수 등과 함께 조선의 3대 부자들 중 하나였다. 1938년 최창학은 평 안북도를 떠나 경성부로 이주했는데, 그 무렵에 이 건물을 지었다. 죽 첨장이라는 이름은 당시 이 건물의 주소지가 죽첨정竹添町 1정목 1번지 였던 사실에서 유래한다. '다케조에'라는 이름은 갑신정변을 후원했던 일본공사 다케조에 신이치로(竹添進一郎, 1842~1917)에서 따온 것이다.

죽첨장은 일본의 유명 건축회사로서 경성 지점을 운영하고 있던 오 바야시 구미大林組가 시공을 맡았고, 1970년대까지 건축가로 활약했던 김세연(金世演, 1897~1975)이 설계했다. 김세연은 1920년 경성공업전 문학교를 졸업하고, 21년간 조선총독부에서 일했다. 죽첨장이 1938년 7월 서양의 고전주의 양식으로 준공되었을 때, 이 건물은 당대의 최첨 단 근대 건축물이었다. 지하 1층, 지상 2층 규모의 건물은 정면에서 보 면 지붕이 있는 현관을 중심으로 좌우 대칭이 이루어지는 구조였다. 죽첨장은 상들리에가 있는 응접실과 당구실, 전용 이발실, 선룸(태양광 이 비치도록 설계된 방)에 냉난방 시설까지 갖춘 대저택이었다. 최창학은 이 건물에 살면서 일본이 전쟁에서 승리하기를 기원하며 비행기를 헌 납하기도 했다.

해방을 맞이하여 환국한 김구 일행이 거주하게 된 이후에도 언론들은 해방 이전부터 익숙했던 죽첨장이라는 이름을 많이 사용했다. 해방 이후 대한국민대표민주의원의 자문을 받은 미군정의 결정에 따라 '메이지마치明治町'가 '명동'으로, '혼마치本町'가 '충무로'로 이름을 바꾼 것처럼 '다케조에마치'는 '충정로忠正路'라는 새로운 이름을 갖게 되었다. 죽첨장도 '경구교京口橋'에서 유래한 '경교장'이라는 새 이름을 갖게 되었다. 경구교는 서대문 근처에 있던 다리의 이름이었다. 그러나 김구 서거 직전까지도 죽첨장이라는 이름은 널리 사용되었다.

죽첨장에서 경교장으로

1945년 해방이 되고 주석 김구를 비롯한 대한민국임시정부 요인들은 11월 5일 충칭을 출발하여 상하이를 거쳐 1945년 11월 23일 환국했다. 김구는 환국에 앞서 항공편을 제공한 미군사령관 웨드마이어 A. C. Wedemeyer 중장에게 "본인은 귀관에게 본인 및 본인의 동료들이 공식적인 지위가 아니라 분명히 개인 자격으로 귀국하는 것"이라고 밝힌 서약서를 제출해야 했다. 환국 후 임시정부의 선전부장 엄항섭(嚴恒燮, 1898~1962)은 "우리를 정부로 인정하고 안 하고는 삼천만 국민이 결정지을 문제"라고 주장했다.

김구와 함께 1차로 환국한 15인은 김규식 부주석, 이시영 국무위원, 김상덕 문화부장, 유동열 참모총장, 엄항섭 선전부장 등을 비롯해 류진동, 윤경빈, 이영길, 백정갑, 안미생, 민영완, 장준하, 김진동, 그리고 선우진 등이었다. 최창학은 이들로 하여금 죽첨장을 사용하도록 했다. 죽첨장의 실소유주였던 최창학은 한국독립당의 재정적 후원자들 중 한 명이 되었다. 이곳에는 김구, 엄항섭, 그리고 안미생(安美生, 1914~2007) 등이 거주했다. 안미생은 충칭에서 김구의 장남 김인과 결혼했으나 충칭에서 남편을 폐병으로 잃고, 딸 김효자와도 1947년 9월 김효자가 귀국하기 전까지 잠시 함께 거주했다. 엄항섭은 경교장 1층에 있던 선전부를 맡아 김구의 입이 되었다. 이시영 국무위원, 유동열 참모총장, 그리고 김상덕 문화부장 등은 인근의 양옥으로 지어진 적산 가옥에 거처를 정했다. 이 양옥집에는 이후 이기붕이 거주했고, 이기붕의 집이 헐린 자리에 4·19혁명기념도서관이 자리하고 있다.

23일 환국 당일 서울역내 철도 식당이었던 '그릴Grill'의 주방장이 경교장에 파견되어 양식으로 저녁을 준비했다. 프랑스에서 요리를 배웠다는 이 주방장은 1946년 여름까지 경교장에서 식사를 담당했다. 서울역 '그릴'에서 파견된 웨이터 2~3명도 있었다. 보일러공 구자형은 서울역에서 근무하던 교통부 소속 공무원으로 교통부에서 월급을 받았다. 경교장의 경비는 경찰이 맡기 전까지 오광선이 지휘하는 광복군 국내 지대가 맡았는데, 본부는 태고사(현재 조계사)에 있었다.

죽첨장에 김구가 거주하게 된 이후 여러 정치 지도자들이 김구를 방문했다. 장준하는 그의 저서 『돌베개』에서 다음과 같이 회상했다.

조선건국준비위원회 위원장을 맡았던 여운형: 풍채가 좋은 그는 활달한 걸음으로 경교장에 들어왔다. 그는 김구 앞에서 전혀 위축되지 않는 태도를 보였다. 그는 빠른 시간에 분위기를 화기애애하게 만드는 능력이 있어 보였다. … 여운형은 계속해 이 사람 저 사람의 안부를 물었고 자기가 상해에 있었던 시절을 회상하는 말을 했다. 그는 40분 만에 자리에서 일어났다.

송진우: 그는 김성수와 지나치게 밀착되어 있는 것이 흠이었다. … 그는 겉으로는 열렬한 임시정부의 지지자였다. 비대한 체구의 그는 짙은 회색 양복을 입어서인지 더 육중해 보였다. 그는 김구를 보자 흥분의 표정을 감추지 못했다. 금세 달변조의 발언을 쏟아 냈다. … 송진우는 준비해 온 5개조의 건의서를 내놓으며 설명을 이어 갔다.

김윤정이나 박흥식 같은 친일반민족행위자들도 살길을 찾아서 경교장을 찾았다. 김구는 정치자금을 들고 찾아온 박흥식에게 호통을 쳤다고 전해진다. 1945년 12월 6일 이 건물에서는 대한민국임시정부 국무위원회가 개최되었다. 이 자리에는 대한민국임시정부 초대 대통령을 지낸 이승만도 참석했다. 해방 이전인 1940년 6월 대한민국임시정부 주석이었던 김구는 이승만을 대한민국임시정부 주미외교위원부 위원장으로 임명한 바 있었다.

신탁통치반대운동의 중심

1945년 12월 말 신탁통치를 포함한 모스크바삼상회의 공동결의문이 발표되자 경교장은 신탁통치반대운동의 중심이 되었다. 반탁전국학생총연맹을 결성했던 이철승은 당시의 광경을 다음과 같이 회고했다.

> 그날(12월 29일) 나는 김구 선생이 기거하시는 충정로에 있는 경교장으로 달려가 신탁통치 문제로 28일부터 이틀째 심각한 회의를 하고 있는 분들께 우리 학생들의 결의를 보고했다. 김구 선생과 자리를 함께한 조소앙, 엄항섭, 신익희 선생 등은 나의 설명을 듣고 "백만 원군을 얻은 거나 다름없다"며 반겨 주었다. 특히 김구 선생은 "반탁운동은 제2의 독립운동이다. 오늘 백만 학도의 원군이 왔으니 우리의 반탁 독립 투쟁은 승리한 거나 진배없다"며 격려한 후 신탁통치반대국민총동원위원회의 구성에 참여했다.

1945년 12월 31일 신익희(申翼熙, 1894~1956)는 대한민국임시정부 내무부장의 자격으로 「국자國字 1호」, 「국자國字 2호」를 발표했다. 「국자 1호」는 "1. 현재 전국 행정청 소속의 경찰 기구 및 한인 직원은 전부 본 정부 지휘하에 예속케 함", "2. 탁치반대의 시위운동은 계통적-질서적으로 할 것"을 포고했다. 「국자 2호」는 "이 운동은 반드시 우리의 최후 승리를 취득하기까지 계속함이 요하며 일반 국민은 우리 정부 지도하에 제반 사업을 부흥하기를 요망한다"고 포고했다. 미군정에 대해 정면 도전하는 이러한 포고문들을 하지(John Reed Hodge, 1893~1963) 미군정 사령관은 쿠데타적 조치라고 간주했다. 김구는 미군정청에 소환되어 경고를 받았다.

경교장과 돈암장을 중심으로 전개된 반탁운동의 결과, 공산주의자들과 사회주의자들을 망라한 좌익 주도의 해방 정국은 판세가 바뀌었다. 함께 반탁에 나섰다가 모스크바 결정을 지지한다고 돌아선 조선공산당의 급변, 특히 조선공산당 최고지도자 박헌영이 외신 기자들 앞에서 장차 조선은 소비에트연방의 일원이 되어야 할 것이라고 한 발언이 전해지면서 공산당을 반민족적 정당이라고 보는 여론이 확산되었다. 1946년 3월 1일 첫 번째 맞이하는 3·1절 기념식을 통해 민족진영 대 공산진영이라는 대립 구도가 좀 더 뚜렷해졌다. 크게 보면 이 대립 구도가 1948년 5·10총선까지 이어지면서, 대한민국임시정부를 계승한 대한민국의 탄생으로 이어졌다.

삼팔선을 베고 쓰러질지언정

1948년 2월 10일 김구는 「삼천만 동포에게 읍고함」이라는 성명을 통해 "나는 통일된 조국을 건설하려다가 삼팔선을 베고 쓰러질지언정 일신에 구차한 안일을 취하여 단독정부를 세우는 데는 협력하지 아니하겠다"는 입장을 밝혔다. 그러나 2월 26일 미국 레이크석세스에서 개최된 유엔소총회에서는 "유엔한국임시위원단이 가능한 지역이라도 그 임무를 수행하도록 한다"는 결의안을 31 대 2로 통과시켰다. 1948년 3월 13일 유엔한국임시위원단 의장 크리슈나 메논V.K.Krishna Menon 일행이 경교장을 방문했다. 그러나 "조국을 분할하는 남한의 단

선도 북한의 인민공화국도 반대한다"는 김구의 입장은 확고했다.

1948년 4월 김구는 김일성과의 담판을 위해 평양행을 결심했다. 김구의 반공 노선을 따랐던 청년들 중 일부는 평양행을 만류했다. 그의 승용차 앞에 드러눕고, 자동차 바퀴의 공기를 빼기도 했다. 김구는 경교장 현관 지붕 위에 올라 북행을 만류하는 청년들을 향해 다음과 같이 연설했다.

학생들은 미래의 주인공이다. 그런 까닭에 정의를 위하여 싸움하는 용사가 되어야 한다. 그러나 제군의 행동은 어떠했나! 내가 장덕수 사건으로 억울하게 미군율 재판에 증인으로 법정에 서게 되었을 때, 제군들은 어떠한 태도를 취했나? 나는 그때 너희들이 과연 비겁한 줄 알았다. 참으로 정의의 깃발 밑에 싸우는 학도라면, 아니 나 김구를 진심으로 믿고 따른다면 어째서 시위운동 한 번도 못 했는가! 나는 그때부터 실망을 느꼈다. 더구나 단독정부가 수립되어서 너희들이 그 정부의 일꾼이 되는 날이면 나 김구를 그때에는 죄인같이 잡아다가 두들겨 죽일 것이다. 나는 나 김구 일개인의 감정을 말하는 것은 아니다. 정말로 민족을 사랑하기 때문이다. 너희들은 내가 함정에 빠져 갖은 억울한 욕을 다 보고 있을 때에는 낮잠만 자고 있다가, 내가 옳은 일을 해 보려면 밤잠을 자지 않고 반대하니 도대체 뭣들이냐! 오늘도 내가 이 땅의 민족을 위하여 옳은 일을 하려 북행하려는데 너희들이 이렇게 방해를 놓고 있으니 한심하다. 한번 간다고 했으면 나 김구는 가고야 마니까, 빨리 집으로 돌아가서 책이라도 한 장 더 보라! 너희 놈들은 왜 여기 있는 거야! 돌아가라면 돌아가지 왜들 안 가고 이러는 거야! 한 번 간다고 내가 결심한 것은 누가 말려도 쓸데없어! 백 마리 소를 모아서 나 김구를 끌려 해도 내 마음은 꼼짝하지 않아! 누가 뭐라고 해도 좋다. 북한의 공산당이 나를 미워하고 스탈린의 대변자들이 나를 시베리아로 끌고 가도 좋다. 북한의 빨갱이도 김일성도 다 우리들과 같은 조상의 피와 뼈를 가졌다. 그러니까 나는 이 길이 마지막이 될지 어떻게 될지 몰라도 나는 이북의 동포들을 뜨겁게 만나 보아야겠다. (『백범어록』 중에서)

해방 이후 1949년까지 김구의 비서를 지낸 선우진은 당시 상황을 다음과 같이 증언했다.

400~500명 청년들이 경교장 뜰에 드러눕고 그랬죠. 이 박사 쪽 사람들도 있었지만 '평양에 가면 공산당에게 억류된다'고 진심으로 걱정하는 사람들이 많았어요. 백범 선생은 베란다로 올라가서 청년들에게 '다 너희들을 위한 거다. 너희들에게 반쪽 국토를 넘겨줄 수는 없지 않느냐'고 호통을 치셨죠. 그래도 학생들은 막무가내였죠. 경교장 지하실 식당 옆에 보일러실이 있는데 뒷길로 나갈 수 있는 문이 있었어요. 그쪽으로 빠져나가 삼팔선을 넘었습니다.

김구는 김규식(金奎植, 1881~1950)과 함께 김일성과 담판하고자 했다. 그러나 김일성은 이들을 '전조선제정당사회단체대표자연석회의'

경교장 현관 지붕 위에서 평양 방문을 만류하는 청년들을 향해 연설하는 김구(1948.4.19.)

라는 틀로 끌어들였다. 이 틀 안에서 김두봉을 포함한 4자회담 형식으로 김구와 김일성의 회담이 이루어졌다. 4월 30일 전조선정당사회단체지도자협의회 명의의 공동성명서가 발표되었는데, 외국 군대의 철수 및 5·10총선 결과 불인정 등 평양 당국의 의도가 많이 반영된 것이었다. 평양의 공산주의자들은 김구의 서울 귀환을 막기 위한 공작으로 금강산 요양이나 선산 방문 등을 제안했다. 홍명희, 이극로 등은 결국 북에 남았다. 김구는 북에 남기를 거부하고, 서울로 귀환했다.

김구는 5·10총선의 불가피성을 인정하고 있었다. 김구는 평양으로 떠나기 전 아들 김신에게 병자호란 당시 최명길 노선의 불가피성을 이야기하면서 자신의 평양행을 다음과 같이 삼학사의 명분에 비유하기도 했다.

> 병자호란의 역사를 알지? 그때 청나라와 타협한 지천 최명길의 현실주의가 없었던들 아마 나라는 망했을 거야. 동시에 삼학사의 명분론과 죽음을 감수하는 한 민족의 그 기개가 없었던들 또한 망하는 거야. 후세 사람들이 "오늘날 최명길이 없으면 안 되고 100년이 흐른 뒤에 삼학사가 없으면 안 된다今日不可無崔遲川 百世不可無三學士"라고 한 것이 바로 이런 이치를 말하는 것인 줄 알아야 해.

김구는 1948년 8월 15일 대한민국 정부가 수립된 이후에는 대한민국의 출범 자체에 대해 비판하지 않았다. 김구는 1948년의 남북협상을 제1차 협상이라고 보았으며 "제1차 협상을 실패라고 규정짓는 것은 조급한 생각"이라고 보았다. "1차 협상은 복잡한 정치적 교섭의 도정을 제시하는 한갓 서곡에 불과하고 종국은 아닌 것"이라는 것이다. 그러나 복잡한 정치적 교섭의 도정은 김구의 비극적 죽음과 공산주의자들이 일으킨 6·25전쟁에 의해 멈추고 말았다.

비극의 현장

1948년 4월의 북행 이후 5·10총선에 이르기까지 김구는 경교장에서 비장한 나날들을 보냈다. 1948년 8월 8일에는 김구의 모친 곽낙원(郭樂園, 1859~1939), 부인 최준례(崔尊禮, 1889~1924), 아들 김인(金仁, 1917~1945) 등의 유해가 환국하여 경교장에 봉안되었다. 충칭에서 작고한 어머니와 아들, 그리고 상하이에 묻혔던 아내의 유해가 돌아와 경교장에서 잠시 동안이나마 함께하게 된 것이다.

김구 가족의 장의식은 8월 20일 서울중학교 운동장에서 기독교회 연합장으로 거행되었다. 이들의 유해는 오후 1시 30분경 경교장을 떠났다. 곽 여사의 유해는 김구가, 최준례의 유해는 아들 신信이, 그리고 김인의 유해는 김홍두가 각각 식장에 봉안했다.

이 시기 김구는 쑨원의 무덤 등에 관해 언급하는 등 종교와 죽음에 관하여 말을 많이 했다. 사육신묘를 방문하기도 했고, 신촌의 봉원사를 찾기도 했으며, 남대문교회에는 꾸준히 출석하고 있었다.

1949년 6월 26일 일요일, 아들 신이 유엔한국임시위원단의 옹진지구 시찰을 수행하기 위해 새벽같이 경교장을 떠났다. 오전 11시 30분경 포병 소위 안두희가 방문하여 김구를 뵙기를 청했다. 안두희는 45구경 권총을 차고 있었지만 일전에 한국독립당 조직부장 김학규의 소개로 이미 경교장을 찾은 바 있었기에 그대로 방문이 허락되었다. 12시 40분을 조금 지난 시각, 식모 아주머니가 오찬으로 준비 중인 만둣국이 다 되어 간다고 말했다. 그 순간, 안두희가 올라갔던 2층에서 떠들썩한 소리가 났다. 안두희가 손에 권총을 든 채 고개를 숙이고 내려왔다. 그는 권총을 계단에 떨어뜨리며, "선생님을 내가 죽였다"고 자백했다.

암살 위협 속에서 "나라를 위해 왜놈이 죽일 일은 했어도 내 민족에게 죽을 일은 안 했다"라고 말했던 김구는 같은 민족, 그것도 한때는 그를 따랐던 33세 국군 장교의 흉탄을 맞은 것이다. 김구의 사망 진단은 성모병원 원장이자 그의 주치의였던 박병래가 맡았다. 김구의 유해는

김구의 서거 소식을 듣고 경교장에 모인 사람들(1949.6.26.)

경교장 2층 침대 위에 모셔졌다. 주치의 박병래는 적십자병원에 연락해서 김구의 데스마스크를 뜨게 했다. 김구의 장례는 한국독립당이 주장한 민족장과 대한민국 정부가 고려한 국장을 절충한 국민장으로 치러졌다. 백범김구선생국민장위원회 위원 등이 중심이 되어 백범김구선생기념사업협회가 만들어져 현재에 이르고 있다.

김구가 서거하고 경교장에서 문상객들을 받을 때, 행여나 집이 망가질까 봐 노심초사한 사람들이 있었다. 경교장의 실소유자였던 최창학의 식구들이었다. 김구가 서거하자 최창학의 재산관리인은 집을 비워줄 것을 요청했다. 김구의 영정과 유품은 경교장을 떠나 충정로 2가의 금화장으로 옮겨졌다. 중화민국대사 리우위완劉馭萬이 유엔대사로 가면서 비워 준 집이었다.

경교장 2층에 복원된 김구의 방

서울운동장

지금은 DDP(동대문디자인플라자)로 변한 서울운동장은 김구와
여러 모로 인연이 깊은 장소였다. 김구의 환국 직후인 1945년
12월 1일, 서울운동장에서 김구를 비롯한 임시정부 요인들을
위한 대대적인 환영식이 열렸다. 1945년 12월 말 모스크바삼
상회의에서 한국에 대한 신탁통치를 결정했다는 소식이 전해
지자 12월 31일 김구가 주도한 대규모의 반탁집회가 서울운동
장에서 개최되었다. 서울운동장은 민족 우파진영이 좌파진영
에 맞서 정국의 주도권을 장악한 상징적인 장소였다. 그런가
하면 1949년 7월 6일 김구의 영결식이 거행된 곳도 서울운동
장이었다.

서울운동장의 탄생

서울운동장의 터는 조선 시대 무재武才 시험, 무예 연습, 병서兵書 강습 등을 맡아 보던 훈련원訓鍊院이 있던 곳이었다. 1392년 조선의 개국 이후 처음에는 훈련관이라고 불리다가 1467년 훈련원으로 이름이 바뀌었고, 1907년 일제가 대한제국 군대를 해산하는 과정에서 강제로 폐지되었다. 야구장이 있던 자리에는 훈련도감의 분원이었던 하도감이 있었다.

이곳은 1882년 임오군란 때 별기군의 교관이었던 일본인 장교 호리모토 레이조堀本禮造가 피살된 현장이기도 했다. 조선왕실이 끌어들인 청국 군대를 이끌고 왔던 장수 우창칭, 마젠중, 위안스카이 등이 진을 쳤던 곳 또한 야구장이 세워진 하도감 자리였다. 1884년 갑신정변 때는 위안스카이의 군진軍陣이 있던 이곳에 고종이 피신하여 정변이 끝날 때까지 머물기도 했다.

1925년 이 훈련원 터에 일제는 히로히토 동궁의 결혼식을 기념하여 경성운동장을 만들었다. 개장 당시의 정식 이름은 '동궁전하어성혼기념 경성운동장東宮殿下御成婚記念 京城運動場'이었다. 히로히토의 결혼식은 1924년 1월에 있었다. 히로히토는 1926년 12월 25일에 즉위하여 이른바 '쇼와昭和시대'를 열었다. 경성운동장의 개장일은 1925년 10월 15일이었고, 정식 준공일은 이듬해인 1926년 3월 31일이었다. 당시 축구장, 육상경기장, 야구장, 테니스장, 수영장 등을 아우르는 '동양 최대의 종합경기장'이라고 선전되었다. 1926년 순종이 승하하자 이곳은 순종

일제 때 경성운동장으로 불리던 서울운동장과 야구장 전경

의 노제路祭 장소로도 사용되었다.

　건립 이후 해방 이전까지 전조선종합경기대회(해방 이후 전국체전),
조선자전거경기선수권대회 등 각종 대회가 개최되었다. 서울과 평양
이 축구로 겨루는 경평축구대회(경평전)의 서울 측 홈구장이기도 했다.
경평전 당시에는 이곳에 약 2만 명이나 되는 군중이 운집했다고 전해
진다.

김구의 환국과 서울운동장의 환영 인파

1945년 12월 1일 오후 1시, 눈발이 흩날리는 서울운동장에서 임시정부 환국 봉영회가 개최되었다. 약 3만 명으로 추정되는 군중이 태극기를 들고 모여들었다. 경성대학을 필두로 전문, 중학, 소학 등 100여 개의 학교와 기타 500여 개의 단체가 참가하였다.

윤보선이 사회를 맡았고, 3·1운동 민족 대표 33인 중 한 사람으로서 3년간 옥고를 치렀던 오세창이 개회사를 했다. "갈망하던 임시정부 간부가 환도하였으니 이 지도자의 명령에 절대 복종하자"는 취지였다. 이인의 봉영문 낭독이 있은 후 권동진의 선창으로 만세 삼창을 하고 조선국민학교 생도를 선두로 깃발을 들고 행진하였다. 행렬은 안국동 네거리에 이르러 조선생명보험회사 2층에 자리한 김구, 이승만을 향해 "대한임시정부 만세!"와 "김구 만세!", "이승만 만세!"를 부르고 중앙청과 태평로를 지나 경성역 앞에 이르러 해산했다.

12월 2일에는 19명의 임시정부 요인 2진이 귀국했다. 홍진, 조소앙, 조완구, 조성환, 황학수, 장건상, 김붕준, 성주식, 유림, 김성숙, 조경한, 김원봉(김약산), 최동오, 신익희 등과 수행원인 안우생, 이계현, 노능서, 서상렬, 윤재현 등이었다. 그 밖에 중국인 무전 기사 세 사람도 동행했다.

1945년 12월 19일 오전 11시 서울운동장에서 임시정부 환국 봉영회가 다시 개최되었다. 아침부터 군중이 모여들었으며 광복군光復軍, 조선국군朝鮮國軍을 선두로 유학생 동맹, 남녀 학생, 기타 일반 시민이 입

대한민국임시정부 환국 봉영회. 이승만, 김구, 오세창 (1945.12.1.)

제2차 대한민국임시정부 환국 봉영회 (1945.12.19.)

장하여 장내는 입추의 여지가 없었다. 11시 정각에 대한민국임시정부 주석 김구와 요인들이 서울운동장에 입장했고, 뒤이어 각 정당 대표 및 여러 인사들이 입장했다. 장엄한 취주악에 맞추어 모두 자리에서 일어나 역사적인 행사를 시작했다. 북쪽을 향하여 36년간 잊었던 태극기를 올렸으며 애국가를 함께 불렀다. 이어서 이화여전 학생들의 환영가 제창이 끝난 후 홍명희洪命憙의 환영사, 막 서울에 도착한 신임 미군정 장관 러치Archer L. Lerch의 축사, 그리고 김구와 이승만의 답사가 이어진 후 만세 삼창으로 환영회는 막을 내렸다. 서울에서 좌익의 주도로 선포된 조선인민공화국, 그리고 평양에서 소련군의 비호 아래 조직되고 있던 정권에 맞설 수 있는 새로운 정치적 중심이 만들어지고 있었다.

迎

臨時政府領袖諸位万歲

歡 大韓民國臨時政府
WELCOME ″

大韓民國臨時政府万歳

대한민국임시정부 환국 축하 시민 행진 (1945.12.19.)

김구가 포효했던 서울운동장

모스크바삼상회의에서 한국의 신탁통치를 결정했다는 소식이
전해지자 서울운동장은 곧 반탁 집회의 광장이 되었다. 12월 29일부터
서울 거리에서 간헐적인 항의가 이어지다가 12월 31일 오후 2시 정각
을 기해 종로에서 안국정(안국동)을 지난 미군정청 앞으로 시위 행렬이
이어졌다. 또 한 갈래의 시위 행렬은 남대문통(남대문로)에서 태평통(태
평로)으로 이어졌다. 이들 군중은 서울운동장으로 밀려들었다. 그 중심
에 김구가 있었다. 김구의 신탁통치에 대한 입장은 다음과 같았다.

> 한국에 대한 4대국 신탁 관리는 4국 공동 합병이라는 결론에 이르고
> 말 것이다. 그러면 신탁을 반대하는 자가 의인이며 애국자가 될지언
> 정, 독립 방해자나 반동분자가 될 이유가 어디 있으랴. 이것이야말로
> 신일진회를 산출할 가능을 가진 위험한 논법이다 … 또 일부 인사 중
> 에는 본심으로는 신탁을 반대하면서도 그것이 국제적으로 규정된 기
> 정사실이므로, 약한 우리로서는 반대한다 하더라도 도리어 역효과밖
> 에 내지 못하리라는 착오 인식을 가지고, 오직 복종으로써 그들의 호
> 의를 획득하여서 약속한 5년 후에나 틀림없이 독립을 주기를 애걸하
> 자고 주장하는 듯하다. 그러나 다른 약소국들은 자기의 손으로 조인해
> 놓은 국제조약도 억굴抑屈한 것이면, 불평등조약 취소를 세계에 호소
> 하여서 필경 목적을 관철하거든, 우리만이 우리의 사정을 세계에 호소
> 하지 못할 이유가 어디 있으랴.

1946년 서울운동장은 다시 한 번 김구에게 정치적 의미가 깊은 장소가 되었다. 해방 이후 최초로 3·1절 기념행사가 열린 것이다. 김구는 이승만, 김규식, 그리고 3·1운동 민족 대표 오세창 등과 함께 이 행사에 참석했다. 하지, 러치, 아널드Archibald V. Arnold 등 미군정의 주요 인사들도 함께했다. 이 행사는 이승만의 개회 선언으로 시작되었고, 하지의 축사, 이승만과 기타 민족 대표들의 타종, 국기 게양, 오세창의

신탁통치 반대 시위 (1945.12.31.)

독립선언서 낭독, 김구의 경축사 낭독, 김규식의 선창으로 만세 삼창
을 함으로써 막을 내렸다. 서울운동장에서 기념식을 거행한 시위 행
렬은 동대문, 종로, 안국정, 미군정청, 광화문 4가, 서대문, 의주통, 경
성역전, 그리고 남대문을 향해 행진했다. 1946년 서울운동장의 3·1절
기념행사는 좌익이 주도한 3·1절 기념행사를 압도했고, 이를 통해 민
족 우파의 정치적 중심이 견고해졌다.

1947년 9월 17일 조지 마셜George Marshall 미국 국무장관은 한국의 독립 문제를 유엔총회에 상정하자고 제안했다. 이 제안에 이어서 10월 5일 서울운동장에서 미국 국무장관 마셜의 신제안 달성 국민대회가 개최되었다. 서울운동장 집회는 국민의회와 애국단체연합회 공동 주최로 개최되었다. 조소앙의 개회사에 이어서 김구는 "우리는 자주독립을 전취하는 데 오늘의 이 대회를 개최하게 된 것"이라고 말하면서 "삼팔선이 하루빨리 철폐"되어야 함을 강조했다. 이어서 장덕수의 "유엔총회의 일원으로 가입"하게 해 달라는 건의문 낭독이 이어졌다.

1948년 1월 서울을 방문한 유엔한국임시위원단 환영 대회도 1월 14일 서울운동장에서 개최되었다. 환영 대회에 앞서 1월 12일 덕수궁 석조전에서 열린 유엔한국임시위원단 첫 회의에서 인도 대표 메논이 의장으로 선출되었다. 메논은 김구와 이승만을 각각 만났는데, 좌우합작을 지지하기도 했던 메논은 유엔의 감독하에 총선거가 실시되어야 하는 필요성에 공감했다.

김구의 영결식장

1949년 6월 26일 김구가 안두희의 흉탄에 서거하자 7월 5일 서울운동장은 김구의 국민장 영결식장이 되었다. 영결식 당일 서울운동장은 이른 아침부터 모여든 조문객으로 가득 찼고, 조문객들이 운동장 밖에서 인산인해人山人海를 이루었다. 서울운동장에 차려진 영결식

大韓民國臨時政府 主席
白凡 金九先生
民民葬永訣式場

三千萬衆哀淚成海失民皆十

七十四年大業如山爲國家棟

김구의 영결식장이 된 서울운동장(1949.7.5.)

단상의 정면에는 '대한민국임시정부 주석 백범김구선생 국민장영결식장'이라고 한자로 쓴 현수막이 걸렸다.

양쪽으로 '74년대업여산위국가동량七十四年大業如山爲國家棟梁', '삼천만중애루성해실민족지침三千萬衆哀淚成海失民族指針'이라고 쓴 휘호가 드리워졌다. 김구의 영구를 모신 단 밑으로 이승만 대통령, 이범석 국무총리, 신익희 국회의장 등이 보내온 꽃다발이 놓였다.

김구의 선전부장이었던 엄항섭의 추도사가 비장하게 울려 퍼지며 군중의 심금을 울렸다.

> 남은 우리들은 목자 잃은 양떼와 같습니다. 다시금 헤아려 보면 선생님은 결코 가시지 않았습니다. 삼천만 동포의 가슴마다에 계십니다. 선생님의 거룩한 희생으로 민족의 대통일 대화평 자유민주에 의한 새 역사의 페이지는 열릴 것입니다.

서울교향악단의 장송곡이 비장하게 이어지는 가운데 육군 장병의 조총 발사를 끝으로 서울운동장의 영결식은 오후 4시 넘어 종료되었다. 서울운동장에서 출발한 대열과 경교장에서 출발한 대열이 합해진 긴 행렬은 효창공원으로 향했다.

창덕궁

국민의 회의장으로
군주의 궁궐에서

창덕궁은 창건 이후 조선의 법궁法宮으로서 조정의 각종 의식이나 외국 사신의 접견이 창덕궁의 정전인 인정전에서 이루어졌다. 창덕궁의 인정전은 경복궁의 근정전, 창경궁의 명정전과 함께 조선 궁궐의 세 정전 중 하나였다. 대한제국 시기 인정전은 내부 시설 일부를 개조하고 내부 바닥에는 본래의 전磚 대신 서양식 쪽나무를 깔았다. 서양식으로 들어서 여는 창을 만들고 커튼을 달았다. 전기 시설을 갖추어 여러 개의 전등을 가설하기도 했다.

경복궁은 임진왜란 때 불타고, 고종 5년(1868년)에 재건될 때까지 약 270년간은 사용되지 못했다. 이에 비해 창덕궁은 1404

년 건립 이후 임진왜란 당시 소실되었던 시기를 제외하더라도 순종이 창덕궁에서 승하하는 1926년까지 약 520년 동안 조선의 궁궐 기능을 수행했다. 창덕궁이 경복궁보다 조선왕조의 대표적인 궁궐인 셈이다.

해방 이후 각광받은 창덕궁

해방 이후 고궁은 정치적 회합이나 연회의 장소로 많이 사용되었다. 덕수궁 석조전이 미소공동위원회가 열리는 장소로 사용되었고, 창덕궁은 비원의 아름다움까지 더해서 빈번한 모임의 장소가 되었다. 당시로서는 호텔이나 컨벤션 센터와 같은 장소가 많지 않았으며, 조선 시대 왕족들이 독점하던 궁궐을 민주적으로 개방한다는 의미도 있었다. 그러나 문화재 보존에 대한 인식은 현재에 비해 많이 부족했다.

미국에서 유학했던 초대 서울시장 김형민은 창덕궁을 연회 장소로 적극 활용했다. 1946년 5월 그의 서울시장 취임식 환영연이 열린 장소도 창덕궁이었다. 창덕궁 백화당 연못 앞에서 열린 칵테일 리셉션을 통해 서로 통성명을 한 후 연회장인 창덕궁 인정전으로 들어갔다. 당시 참석했던 하지 사령관은 "창덕궁에 처음 왔다. 우아한 건축미에 깊은 인상을 받았다"고 소감을 말했다. 김규식은 "오늘 밤 연회가 더없이 훌륭했다"고 칭찬했다.

초대 서울시장 김형민은 창덕궁을 연회 장소로 사용한 이유를 다음과 같이 회고한 바 있다.

> 창덕궁은 일본인들이 폐쇄한 뒤 일반에게 공개하지 않았었다. 그러지 않아도 백성들이 옛 임금을 추앙하는데 궁에 오게 되면 배일사상이 더 고조된다는 것이 이유였다. 나는 창덕궁을 일반에게 공개하도록 하고 외빈을 맞을 때는 언제나 환영 리셉션을 비원 백화당 앞에서 가졌

다. 중국 충칭에 주둔하며 일본과 싸운 웨드마이어 장군이 서울에 왔을 때도 비원에서 성대하게 환영 리셉션을 열었다. 하지 장군의 고문관으로 미국에서 파견한 서재필 박사의 리셉션도 이곳에서 열었다. 외국에서 온 귀빈은 내가 직접 창덕궁과 비원을 안내했다.

창덕궁과 남조선대한국민대표민주의원

김구가 부의장을 맡았던 재남조선대한국민대표민주의원在南朝鮮大韓國民代表民主議院은 1946년 서울시장 김형민이 취임식 연회를 개최하기 앞서 창덕궁에 자리 잡았다. 반탁운동을 주도하던 김구는 1946년 2월 1일과 2일 이승만, 김규식 등과 함께 비상국민회의를 소집하여 28명의 최고정무위원을 선출했다. 미군정 사령관 하지는 이러한 움직임을 수용하는 한편 좌익 측의 민주주의민족전선 결성 움직임에 맞서 1946년 2월 14일 남조선대한국민대표민주의원(이하 민주의원)을 개원했던 것이다.

민주의원은 이승만 의장과 김구, 김규식 부의장, 그리고 28명의 의원들 중 23명이 참석한 가운데 미군정청 제1회의실에서 개원했다. 의장에게는 링컨 콘티넨털, 부의장에게는 캐딜락 승용차가 제공되었다. 민주의원은 미군정 사령관이 한국의 과도정부를 수립하기 위한 노력에 자문 자격으로 협조할 것과 한국의 완전 독립을 속히 실현하는 데 공헌할 것을 선언했다. 개원식에는 하지 사령관과 더불어 김성수, 임영신 등도 배석했다.

의원들은 다음과 같은 기라성 같은 인물들을 포함하고 있었다. 원세훈, 김도연, 백관수, 김준연, 백남훈, 권동진, 오세창, 김여식, 최익환, 조완구, 조소앙, 김붕준, 안재홍, 박용희, 이의식, 여운형, 황진남, 백상규, 김선, 장면, 김창숙, 김법린, 함태영, 정인보, 황현숙.

민주의원의 서무국장은 유명한 화가였던 고희동이 맡았다. 그는 프란체스카 여사의 한글 이름 이부란을 작명하기도 했다. 비서국장은 윤치영이 맡았고, 김구의 경위대에 있던 윤경빈과 이영길이 서무국에 근무했다. 김구 부의장은 선우진, 김규식 부의장은 조카 김영휘가 수행했고, 안재홍은 김중국, 오세창은 아들 오일육이 수행했다.

첫 회의가 미군정청에서 개최된 데 이어서 2차 회의가 창덕궁 인정전에서 개최되었다. 3차 회의는 덕수궁 석조전에서 개최되었다. 그리고 1946년 2월 18일 민주의원 본부를 창덕궁에 두기로 결정했다. 민주의원은 15부 4국과 10개 상임위원회를 두었다. 민주의원 창립 당시 민주의원의 정무는 덕수궁에서 이루어졌으나 덕수궁이 미소공동위원회 장소로 사용되게 됨에 따라 창덕궁 인정전 동행각東行閣으로 정무청을 옮기게 되었다. 창덕궁에는 좌우로 동행각 36칸과 서행각西行閣 38칸이 부속되어 있었는데, 동행각은 조선 시대 중신회의 장소로 사용되던 곳으로 순종이 당구를 치던 옥돌대(당구대)가 있던 장소였다.

덕수궁에서 창덕궁 동행각으로 정무청을 이전한 민주의원의 진로는 순탄하지 않았다. 당시 신문을 보면 창덕궁 서향각西向閣을 회의실로 사용했다고 되어 있는데, 이것이 서행각西行閣의 한글 오기인지 아니면

서향각書香閣의 한자 오기인지 확실하지 않다.

1946년 미소공위가 개최되자 이승만은 돌연 민주의원 의장직을 사퇴했고, 김규식이 대리의장을 맡았다. 미소공위가 공전하는 가운데 1946년 6월의 정읍 발언 이후 이승만은 과도적 단독정부 수립을 주장했고, 김규식 등은 좌우합작을 추진함으로써 민주의원은 사실상 기능이 정지되었다. 민주의원 후신으로 1946년 12월 남조선과도입법의원이 만들어졌다.

민주의원이 해산되는 과정에서 김구는 "민주의원은 당시 민주주의민족전선이 조직됨에 따라 어쩔 수 없이 창설되었다"고 발언했다. 이에 대해 김원봉은 "민주주의민족전선은 진정한 애국자들로 구성"된 것인데, "극단적인 좌익으로 간주한다"고 하면서 김구 노선과 차별화했다. 김구에 대한 김원봉의 비판적 발언은 평양의 소련군정에 소상히 보고되어 현재 러시아연방국방성 중앙문서보관소에 소장되어 있는 「남조선 정세 보고서 1946~1947」에 남아 있다.

기념식과 연회들

미소공동위원회가 공전하던 1946년 4월 11일 김구는 비상국민회의 주최로 창덕궁 인정전에서 제27회 대한민국임시입헌기념식을 거행했다. 기념식은 오전 10시 반에 창덕궁 인정전에서 비상국민회의 정·부의장을 비롯하여 비상국민회의 대의원, 민주의원 의원들 및 각계 명사 등이 모인 가운데 거행되었다. 홍진 의장은 다음과 같이 기념사를 했다.

> 27년 전 이날 3천만 총의로서 국내·국외에 있던 여러 혁명 투사들이 상하이에서 임시정부를 조직하고 11조로 된 임시헌장을 세운 이래 처음으로 고국에 돌아와서 역사적 전통을 계승하여 이날을 기념함은 감개무량한 바로 이 기념식전은 자주독립을 하루빨리 완성하여서 자손만대의 복지를 추진시키는 데 그 의의가 있는 것이다.

이어서 조소앙이 약사略史를 보고했다. 그는 기미년(1919년) 4월 10일과 11일 양일에 걸쳐 임시의정원에서 헌장 작성 결의를 할 때부터 1946년 2월 1일 비상국민회의에서 이를 계승하기까지의 경위를 보고했다. 이어서 재미한족연합회의 한시대, 민주의원의 김법린 등이 축사를 했고, 홍진 의장의 선창으로 만세 삼창 후 11시 40분에 식을 마쳤다. 김구는 1947년 4월 11일에도 같은 행사를 창덕궁 인정전에서 거행하고, 기념 촬영을 했다.

1946년 9월 21일 오후 4시 제7사단장, 군정 장관, 미소공동위원회의 미국 측 수석대표로 활약하던 아널드 소장의 송별연이 민주의원 주최로 창덕궁 인정전에서 개최되었다. 1946년 11월 30일 오후 3시 이승만의 도미 외교를 위한 환송회도 창덕궁 인정전에서 개최되었다. 오세창을 비롯해서 각계 대표 300여 명이 참석했고, 조소앙의 환송사가 있었다. 1947년 2월 13일 창덕궁에서는 오후 6시부터 미국 신문기자

일행 환영회가 개최되었다. 이 석상에서 김구는 다음과 같은 의미심장한 메시지를 전달했다.

> 조선인 독자의 과도정권 수립은 총선거를 통하여 할 수도 있고 현 입법의원에서 정권 이양의 법령을 통과하여 할 수도 있는 것입니다. … 남조선의 과도정권 수립은 물론 임시방책입니다. 남북통일정부 수립까지의 잠정적 조치입니다. 아니, 남북통일정부 수립 촉진의 일방책이라고도 할 수 있습니다. … 이 정부는 물론 독립정부래야 합니다. 신탁통치는 우리 민족의 이상에 위반될 뿐만 아니라 대서양헌장의 민족자결주의와 카이로선언의 독립공약과도 배치되는 것입니다. 그뿐 아니라 4개국 공동관리하에서 조선 임시정부는 그 기능을 원활히 발휘할 수 없을 것입니다.

1947년 8월 15일 해방 2주년 기념식이 서울운동장에서 열리고 이후 기념 축하회는 오후 3시부터 창덕궁 비원에서 개최되었다.

같은 해 8월 30일 미국 대통령 특사 웨드마이어 장군 환영식이 오후 4시부터 창덕궁 비원에서 개최되었을 때에도 김구는 이승만, 안재홍 민정장관 등 각계 인사 약 500여 명과 함께 참석했다. 김형민 서울시장의 소개로 각계 요인들이 인사를 한 후 웨드마이어의 답사가 이어졌다. 구황궁 아악부가 연주하는 아악과 이화여대생들의 조선민요 합창으로 환영회는 마무리되었다. 11월 13일 오후 3시 30분부터 창덕궁 비원에서는 신임 군정장관 딘 소장 환영회가 개최되었다. 김구는 하지 사령관, 안재홍 민정장관을 비롯한 군정 요인들, 이승만, 오세창, 조소앙 등과 함께 참석했다.

조선왕조 시대나 한일강제병합 시기 일반인들이 접근하기 어려웠던 창덕궁. 해방 이후 이곳에서는 많은 모임들이 개최되었고, 김구 역시 여러 모임들에 참석했다. 군주의 궁궐에서 국민의 회의장으로 변화된 것이다.

한국민족대표자대회를 마치고 창덕궁에서 함께한 김구와 이승만(1947.7.15.)

돈암장과 이화장

백범과 우남, 즉 김구와 이승만의 관계를 빼놓고 대한민국 현대사를 쓰기 어렵다. 해방 이전 대한민국임시정부를 통해 깊은 인연을 맺었던 김구와 이승만은 해방 이후 자주 만나 '제2의 독립운동'을 함께했다. 김구가 거주하던 경교장에 이승만이 방문한 적도 있었지만, 이승만의 거처로 김구가 방문한 경우들이 더 많았다. 김구는 환국 직후부터 1949년 6월 26일 서거하던 날까지 경교장에 거주했다. 이에 비해 이승만은 조선호텔, 돈암장, 마포장, 그리고 이화장 등으로 거처를 옮겼다. 이승만이 환국 직후 조선호텔에 거주할 때는 김구가 아직 환국하기 이전이었고, 마포장에서 거주한 기간은 짧았다. 김구와 이승만

의 회동은 주로 돈암장과 이화장에서 이루어졌다. 돈암장은 김구와 이승만 양 거두의 돈독했던 관계를 상징한다.

김구와 이승만의 관계가 돈독했던 돈암장

이승만은 10월 17일 환국 직후 경성중앙방송국 방송을 통해 귀국 인사를 했고, 하지 사령관의 배려로 조선호텔에 묵었다. 그의 환국 소식을 듣고 조선공산당 당수 박헌영을 비롯한 각계 각처의 방문객들이 쇄도했다. 이승만이 호텔에서 계속 거주할 수는 없다고 생각한 송진우는 장덕수를 통해 이승만이 장기적으로 머물 거처를 물색했고 돈암동의 저택 하나를 빌리게 되었다.

이 집은 황해도 출신의 한민당원으로 조선타이어주식회사 사장을 지낸 장진섭의 소유였다. 장진섭은 해방 직후 이승만이 귀국하여 미군정하에서 주도했던 대한경제보국회 위원으로 활동했다. 그는 미군정의 경제정책에도 조언했다. 돈암장은 1939년에 건립된 근대식 한옥이었다. 장진섭은 연건평 약 150평의 건물 3채 중 1채만을 쓰고, 안채와 또 다른 1채를 이승만과 그의 일행에게 빌려주었다.

돈암장은 장진섭이 6·25전쟁 때 납북되어 사망하자 서울특별시 성북구 동소문동 4가 103번지의 1호 및 2호로 분할되어 민간 소유가 되었다. 2004년 대한민국 등록문화재 제91호가 되었으나, 사유지로 남아 있다.

1945년 10월 24일 이승만이 돈암장에 입주하자 윤치영, 이기붕, 윤석오, 송필만 등이 이곳에서 그를 도와 활동했다. 이승만은 돈암장에서 병고에 시달리기도 했는데 아직 프란체스카 여사가 귀국하기 전이라 윤치영의 부인과 임영신이 그를 간병했다.

이승만은 10월 29일 돈암장에서 기자회견을 가졌다. 그는 "신탁통치설의 암영 불식도 삼천만의 완전 집결로 가능"할 것이라고 말하면서 김구의 귀국도 멀지 않다고 발표했다. 11월 23일 오후 김구를 비롯한 임정 요인 1진이 죽첨장(나중의 경교장)에 여장을 풀었고, 달려온 이승만과 해후했다. 이튿날 김구는 돈암장을 방문했다. 두 사람은 미군정청에서 미군정 사령관 하지를 만났다. 해방 이후 1949년까지 김구의 비서를 지낸 선우진은 해방 이후 김구와 이승만의 관계를 다음과 같이 증언했다. "선생은 이 박사를 '우남零南 형님', '우남장(丈·어른)'이라고 부르셨어요. 이 박사가 한 살 위거든요. 늘 '초대(대통령)는 이 박사가 돼야 한다. 나는 부족한 사람이다. 임정에서 내가 주석이 된 건 사람이 없었기 때문이지'라고 말하셨어요." 상하이 프랑스 조계에서 수립되었던 대한민국임시정부의 문지기를 자처하기도 했던 김구의 겸손함이었다.

김구는 11월 25일 오후 2시 20분에도 돈암장을 방문하여 저녁이 되도록 단둘이서 흉금을 풀어놓고 요담했다. 한 신문은 "양 거두의 회담이 있은 다음 각 정당과의 절충을 거쳐 충분한 준비를 한 다음 정국 통일은 급속히 실현될 것"이라고 낙관하기도 했다. 1945년 12월 말 모스크바삼상회의 결정이 국내로 전해지자 이승만의 돈암장은 김구의 경교장과 함께 신탁통치반대운동의 중심지가 되었다.

김구는 1946년 1월 19일 다시 돈암장을 방문했는데, 『동아일보』는 두 사람이 돈암장에서 "완전한 의견의 일치를 보았다"고 보도했다. 이를 기초로 비상국민회의가 출범했다. 이 시기 김구가 이승만에게 힘을 더해 줌으로써 "정계의 축심軸心은 돈암장으로 집중"되고 있다는 추측 보도가 나오기도 했다.

1946년 4월 9일 김구는 다시 돈암장을 방문했다. 이 자리에서 김구는 이승만에게 "민주정당합동이 지연되는 작금의 사태로 보아 이 박사가 독립당 중앙집행위원장으로 출마하여 난국을 수습"할 필요가 있다고 요청했다. 이에 대해 이승만은 "거국적 초당적인 국민운동의 필요"를 역설하며 김구도 "당에서 탈당하기를 종용"했다. 김구는 이에 호응하여 독립당 중앙집행위원장을 사임할 의사를 나타내었다. 다음 날인 4월 10일 대한독립촉성국민회의 지방지부결성대회에서 김구는 "이 박사와 혼연일체인 만큼 … 국민운동으로서 활발히 발족하기를 바란다"는 격려사를 발표하였다.

김구와의 합의에 기초해서 1946년 12월 4일부터 워싱턴 당국을 직접 설득하기 위한 방미 외교를 시작한 이승만은 이듬해 4월 21일까지 서울을 비우게 된다. 이 기간 중 UP통신은 이승만의 부재로 인해 서울에서 김구의 존재감이 현저해지고 있다는 소식을 전하기도 했지만 두 사람의 관계는 단단하게 유지되었다. 두 사람과 날카롭게 대립했던 사람은 오히려 미군정 사령관 하지였다.

방미 외교를 마친 이승만은 미군정과 대립했고, 미군정은 김규식을 선호했다. 한민당은 미소공위 참여 문제로 이승만과 김구로부터 멀어졌다. 한민당의 소개로 이승만에게 돈암장을 대여했던 장진섭은 집을 비워 달라고 요청했다.

결국 미군정청의 주선으로 마포(지금의 용산구 청암동 164번지) 한강

성북구 동소문동에 있는 돈암장의 최근 모습

변의 언덕에 위치한 과거 다나카田中 정무총감이 여름 별장으로 쓰던 집을 얻었다. 미군이 진주한 뒤에는 미군 대령이 잠시 쓰다가 오래 비워 두었기 때문에 손볼 데가 많은 집이었다. 집수리를 하게 했으나, 막상 이사를 하려니까 수돗물도 나오지 않아, 영문 타이핑 담당인 황규면 비서가 물지게로 물을 길어 날라야 했다. 이승만은 1947년 8월 18일 이 집으로 이사했고, 이때부터 마포장麻浦莊으로 불리게 되었다.

조선호텔에서 돈암장으로 이주했을 때 20명가량이나 되던 이승만의 비서진은 이기붕, 윤석오, 황규면 세 사람으로 줄었다. 이승만은 하와이 시절부터 사용하던 연장들을 써서 손수 집을 고치고 정원수를 다듬었다. 이승만은 마포장을 '평원정平遠亭'이라고 이름 짓고, 다음과 같은 한시를 지어 고즈넉한 풍경을 묘사하기도 했다.

移家何事住江頭(이가하사주강두) 어쩌다 이사하여 강가에 사는가?
來訪人人問不休(내방인인문불휴) 방문객마다 물어보네
須向西南窓外望(수향서남창외망) 서남쪽을 향해 창밖을 바라보니
五湖烟月滿山秋(오호연월만산추) 강 안개 너머 달이 보이고, 산에는 가
을이 가득하네

김구와 이승만이 멀어진 이화장

이승만은 춥고 스산한 마포장을 떠나 두 달 만인 1947년 10월

18일 낙산 서쪽 기슭의 이화장으로 이사했다. 이승만의 돈암장 시절 돈독했던 김구와 이승만의 관계는 이화장에서 점차 멀어졌다. 이화동 일대는 원래 배밭이었고, 조선 중종 이전부터 '이화정梨花亭'이라는 정자가 있었기 때문에 '이화정동'이라고 불렸다. 중종 때 문장, 글씨, 그림을 잘하여 당대의 삼절三絶이라는 칭송을 받은 신잠申潛이 「이화정에서 술에 취하여」라는 시를 읊기도 했다. 인조의 셋째 아들 인평대군의 석양루夕陽樓가 들어섰다가 장생전長生殿이 되었는데, 이 장생전의 일부가 이화장 본채에 남아 있다. 대한민국 초대 대통령에 선출된 이승만이 이 한옥에서 초대 내각을 조직하여 현재는 '조각당組閣堂'이라고 불린다. 이승만은 1960년 4월 26일 하야한 다음 날 이화장으로 돌아왔고, 5월 29일 하와이로 떠나 1965년 7월 19일 별세했다. 1965년 그의 유해가 환국하여 동작동 국립묘지에 묻히기 전 7월 23일부터 7월 27일까지 이화장에 안치되기도 했다.

　돈암장은 김구와 이승만의 결의를 상징했던 장소인 데 비해 이화장은 결별을 상징한다. 물론 이화장도 초기에는 양자의 단결을 보여 주던 장소였다. 1947년 11월 30일 오전 10시 이화장을 방문한 김구는 약 한 시간가량 요담했다. 측근들은 두 영수가 이승만이 주장하는 독립정부 수립에 완전한 의견 일치를 보았다고 전했다. 그러한 전언을 뒷받침하듯 두 사람은 이화장 요담을 마친 후 오후 1시경 천도교당에서 개최된 서북청년회 1주년 기념식에 함께 참석하여 훈화했다. 김구의 연설은 이승만이 주장해 온 "동포는 시급히 한데 뭉치어 남조선 총선거로 정부를 수립하여 국권을 회복한 후 남북통일을 한다"는 골자와 동일했다.

이틀 후인 1947년 12월 1일 김구는 다시 이화장을 방문하여 약 한 시간 요담한 후, 오후 1시 30분 천도교강당에서 개최된 국민의회 제44차 임시대회에서 치사했다. 김구는 "소련의 방해가 제거되기까지 조선인민위원회의 의석을 남겨 놓고 선거를 하는 조건이라면, 이승만 박사의 단독정부론과 내 의견은 같은 것"이라는 담화문을 발표하기도 했다.

그런데 1947년 12월 2일 한국민주당 정치부장 장덕수가 현직 경사 박광옥과 배희범 등에 의해 제기동 자택에서 암살당하는 사건이 발생했다. 배후는 김구와 함께 독립운동을 했던 김석황이었다. 이 사건으로 인해 여러 모로 곤경에 처한 김구는 12월 14일 이화장을 방문하여 오랜 시간 이 문제에 관해 요담했다. 김구는 이승만의 도움을 요청했다고 보여진다. 그러나 미군정 사령관 하지와 이승만의 관계도 좋은 관계는 아니었다.

이러한 와중에 김구가 이끌던 한국독립당 중앙집행위원회는 1947년 12월 15일 총선 참가를 결의했다. 1947년 12월 21일과 22일에 연이어서 김구는 이화장을 방문하여 이승만과 요담했다. 23일 오전 10시 이화장에서 이승만과 김구의 입회하에 국민의회 측 대표 박원달 외 5명과 한국민족대표단 측 대표 이윤영 외 4명이 회동했다. 이들은 대표 자격 문제로 논란을 빚다가 26일 오후 1시부터 이화장에서 양측 대표 각 15명이 출석하여 최후 결정을 짓기로 하고 산회했다.

유엔한국임시위원단의 방문 결정과 소련 측의 1948년 초 미소 양군 동시 철퇴 제안이 있은 후 국내 정계는 두 사안에 대한 입장 차이로 분열되었다. 이승만과 김구의 관계도 미묘한 차이를 보였다. 그러나 국

1955년 3월경에 촬영된 이화장의 전경 (연세대 이승만연구원 소장)

이화장 최근 모습

민의회 제44차 회의에서 국민의회와 한국민족대표단 합동 문제에 원칙적 합의가 있었고, 김구는 여러 차례의 성명을 통해 이승만과의 관계가 견고함을 보여 주었다. 한 언론은 "두 영수의 원만한 합의로 말미암아 종래 민족진영 내부에서 보이던 약간의 의견 대립과 모략적 언행 등은 일소될 것"이라고 희망했다.

그러나 결국 민족진영의 두 영수는 결별의 길을 걷고 말았다. 1948년 늦은 봄, 김구와의 이별이 가시화되던 무렵 이승만은 한시를 지어 이화장의 풍경을 다음과 같이 묘사했다.

梨花洞裏晝陰陰(이화동리주음음) 이화동 골짜기는 낮에도 그늘지고
鎭日鶯啼綠樹深(진일앵제녹수심) 온종일 꾀꼬리는 숲속에서 지저귀네
隣寺水流僧不見(인사수류승불견) 이웃한 절에 물은 흐르는데 승려는 보
이지 않고
時聞鐘磬出空林(시간종경출공림) 때때로 숲 밖으로 종소리 풍경소리만
들려오네

언더우드 동상

1948년 10월 16일 오후 2시경 김구는 연희대학에서 개최된 언더우드Horace Grant Underwood 동상 재건립 제막식에 참석했다. 동상은 말년의 언더우드의 모습을 실물 크기로 제작했는데, 연미복을 입고 두 팔을 벌려 미소 짓는 모습이 겸손해 보인다. 동상 아래에 양복을 입은 이승만 대통령과 한복을 입은 영부인 프란체스카 여사, 역시 한복을 입은 김구가 함께하고 있다. 이들의 모습은 당시 엇갈렸던 김구와 이승만의 정치 노선과는 달리 평화로워 보인다.

동상의 주인공 언더우드는 1859년 영국 런던에서 태어나 13세가 되던 해에 미국으로 이주한 후, 1884년 조선으로 파견된 최

언더우드 동상 제막식에서 연설하는 김구(1948.10.16.)

초의 장로교 선교사였다. 그는 조선어 문법을 영어로 집필했
고, 이후 성서번역위원회 초대위원장, 대한기독교서회 회장 등
을 역임하는 한편 연희전문학교를 설립했다. 언더우드는 개화
기를 거쳐 일제의 압제를 받던 시기에 조선 민중과 함께했다.
1916년 언더우드가 57세의 나이로 세상을 떠나자 그를 사랑한
조선인들이 동상을 세워 주었다.

언더우드 동상 제막식

첫 번째 언더우드 동상의 제막식은 1928년 4월 28일 오후 2시부터 연희전문학교 교정에서 거행되었다. 동상의 전면에 기록된 글은 위당 정인보가 쓴 글이었다.

> 이 동상은 에취 지 언더우드 박사라. 쥬강생 천팔백팔십오년 사월에 박사 이십오의 장년으로 걸음을 이 땅에 옮겨 삼십삼 년 동안 선교의 공적이 널리 사방에 퍼지고 큰 학교론 연희전문이 이루히니 그럴사 박사 늙으시도다. 신학 문학의 높은 학위는 박사 이를 빌어 묵어옴이 아니라 얼굴로 좇아 얼른 살피기 어려우나 이렇듯이 연세보다 지나 쇠함을 볼 때 누구든지 고심으로 조선 민중의 믿음과 슬기를 돕는 그의 평생을 생각할지로다. 베푼배 날로 늘어감을 딸아 우리의 사모 갈수록 깊으매 적은 힘을 모아 부은 구리로서나 방불함을 찾으려 함이라. 뉘 박사의 일생을 오십칠세라 하더뇨. 박사 의연히 여기 계시도다. 천구백이십칠년 시월 삼십일. 조선인 동지 일동.

이 첫 번째 언더우드 동상은 구리 공출이라는 명목으로 일제에 의해 강제 징발되고 말았다. 1941년 12월 8일 하와이를 기습하여 미국과 전쟁을 개시한 일제는 언더우드 동상을 철거하고 그 자리에 '흥아유신기념탑'을 세웠다. 조선총독이었던 미나미 지로의 휘호를 돌에 새긴 것이었다. 해방 직후 이 비석은 철거되어 현재 연세대학교회(루스채

플) 아래 '연세기록보존소'(서오릉으로 이전한 사도세자 어머니의 묘가 있던 수경원의 정자각) 뒤뜰 구석에 전시되어 있다.

1948년 10월 16일 김구가 이승만, 김규식, 원한경(언더우드 2세) 등과 함께 참석한 제막식은 일제에 의해 철거된 언더우드 동상을 재건립하는 자리였다. 동상의 재건립을 주도한 인물은 미 군정장관 비서 이묘묵(李卯默, 1902~1957)이었다. 동상의 제작자는 한일강제병합 시기 인물 동상을 많이 제작했던 김복진의 제자 윤효중(尹孝重, 1917~1967)이었다. 윤효중은 배재고보에서 김복진의 가르침을 받았고, 1941년 도쿄미술학교 목조과를 졸업했다. 해방 이후 홍익대학교 미술대학 설립을 선도했다. 천도교 창시자 수운 최제우 동상, 창덕궁 앞 충청공 민영환 동상, 이순신 동상, 이승만 동상, 임영신 동상, 그리고 대통령 리승만 박사 송수탑(남한산성, 1955) 등도 윤효중의 손을 거쳤다.

언더우드 동상 제막식의 사회는 백낙준 총장이 맡았고, 헌납사는 연희동문회 회장 이묘묵이 맡았다. 이어서 이승만, 김구, 김규식 순으로 축사가 진행되었다. 1948년 8월 17일 내한한 존 무초John Muccio도 참석했다.

동상은 깨어질 수 있으나

어린 나이에 부모를 잃었던 김규식은 언더우드 가정에서 보살핌을 받으며 성장했던 개인적 인연이 있었다. 이승만도 언더우드와 오

언더우드 동상

랜 인연을 갖고 있었다. 이승만은 서양의학의 도움으로 실명의 위기에서 벗어난 적이 있었고, 한성감옥에서 언더우드를 비롯한 선교사들의 도움을 많이 받았다. 그는 언더우드가 설립한 연희대학의 교수가 될 수도 있었다. 미국 프린스턴대학교에서 쓴 박사 학위 논문이 책으로 출간되자 이승만이 언더우드에게 감사의 뜻과 함께 서명하여 증정한 책이 연세대 학술정보원에 소장되어 있다.

김구는 김규식이나 이승만만큼 언더우드와 직접적인 인연을 갖고 있지는 않았다. 그렇지만 청년 시절에 기독교에 입교한 바 있었고, 1949년 6월 26일 서거한 날에도 남대문교회에 출석할 예정이었을 정도로 기독교와 관계가 깊었다. 김구는 언더우드 동상 제막식에서 "동상은 깨어질 수 있으나 우리들 마음속의 동상은 없어지지 않는다"고 역설했다. 앞서 이승만 대통령이 "오늘 이 동상 제막식을 시작으로 언더우드의 손길이 닿아 있는 전국 각처에 동상을 세우도록 합시다"라고 한 발언과는 대조적이다.

김구는 언더우드 동상의 비극을 예견했던 것이었을까? 1950년 6·25전쟁 발발 직후 공산주의 계열의 학생자치위원회에 의해 언더우드 동상은 제거되었다. 공산주의 계열의 학생들은 언더우드 동상의 목에 밧줄을 걸고 교수형을 하듯 비참하게 쓰러뜨렸다고 전해진다. 1년여 전에는 언더우드의 며느리였던 이델 언더우드가 교내의 사택에서 공산주의자들에 의해 피살되었다.

1950년 6·25전쟁 직후 조선인민군과 공산주의자들이 장악했던 연희대 공간은 1950년 9월 15일 인천상륙작전 이후 반격에 나선 국제

연합군(한국군 포함)이 9월 21일부터 26일까지 6일간 전개한 연희고지 전투를 통해 수복되었다. 이 전투 기간 중에 연희대학 본관, 학생회관, 사택 등이 손상되었다. 지금도 언더우드 동상의 좌대에는 6·25전쟁 당시의 총탄 자국이 남아 있다.

1955년 같은 자리에 언더우드 동상은 세 번째로 세워졌다. 이 또한 윤효중이 제작 책임을 맡았다. 민주화운동 시기 언더우드 동상 앞은 시위의 최초 집결지가 되기도 했다. 1969년 3선개헌 반대 성토대회가 언더우드 동상 앞에서 개최되었고, 1971년에는 같은 장소에서 학원자유쟁취선언대회가 개최되었다. 1975년에는 박대선 총장 사임 압력 사태로 촉발된 반유신 시위가 역시 언더우드 동상이 굽어보는 가운데 전개되었다. 1987년 여름 이한열의 장례식도 언더우드 동상 앞 백양로 북단에서 개최되었다. 도보로 이어진 장례 행렬은 서울시청 앞까지 이어졌다.

그런데 1990년대에 들어 일부 학생들이 대자보를 통해 언더우드 동상을 공격하기 시작했다. "제국주의 군함을 타고 온 선교사 원두우(언더우드)는 한국 민족의 은인일 수만은 없다"는 요지였다. 일본 제국주의자들과 공산주의자들이 첫 번째 언더우드 동상과 두 번째 언더우드 동상을 끌어내렸듯이 세 번째 언더우드 동상도 정치적 위협을 받기 시작했다.

세 번째 언더우드 동상은 여전히 백양로를 찾는 사람들을 향해 두 팔을 벌리고 서 있다. 앞으로 언더우드 동상이 어떤 정치적 세력에 의해 세 번째로 철거되는 날이 오지는 않을까? 설사 그런 일이 있더라도 1948년 두 번째 언더우드 동상 제막식에서 김구가 연설했듯이 '마음속의 동상'까지 없앨 수는 없을 것이다.

효창공원

삼의사, 임정 요인들과
더불어 영면하다

효창공원은 해방 이후 김구가 여러 번 방문했던 장소인 동시에 김구의 유해가 모셔진 장소이다. 윤봉길(尹奉吉, 1908~1932), 이봉창(李奉昌, 1900~1932), 백정기(白貞基, 1896~1934) 등 삼의사의 묘와 함께 대한민국임시정부 요인이었던 이동녕(李東寧, 1869~1940), 조성환(曺成煥, 1875~1948), 차리석(車利錫, 1881~1945)의 묘가 있는 곳이기도 하다. 인근 원효로에 있던 원효사에는 김구가 1947년 3월 20일에 설립했던 건국실천원 양성소가 자리하고 있었다.

효창원에서 효창공원으로

서울특별시 용산구 청파동과 마포구 공덕동에 걸쳐서 총면적 약 12만 제곱킬로미터에 달하는 효창공원은 조선 시대 효창원 터에 조성된 근대식 공원이다. 효창원은 조선 정조의 장자로 세자 책봉까지 받았으나 5세에 요절한 문효세자의 묘원이었다. 이후 정조의 후궁이며 문효세자의 생모인 의빈 성씨의 묘, 순조의 후궁인 숙의 박씨의 묘와 그의 딸인 영온옹주의 묘가 들어섰다.

1894년 5월 청일전쟁 발발 직전 일본군의 주력부대인 오시마 요시마사의 히로시마 혼성여단이 현재 효창운동장이 위치한 곳의 남쪽 소나무 숲에 주둔했다. 1924년 경성부가 왕실이 사용하던 효창원의 일부를 공원 용지로 책정했고, 일반인의 관람이 허용되었다. 공원으로 정식 지정된 것은 1940년 총독부에 의해서였다. 1945년 3월 일제는 문효세자를 비롯한 왕족들의 묘소를 경기도 고양군 원당읍 원당리 서삼릉 경내로 천장했다.

현재 효창공원에는 김구의 묘소와 함께 백범김구기념관이 자리하고 있다. 공원 경내에는 1969년 8월에 원효대사의 동상이 세워졌으며 같은 해 10월 반공투사위령탑도 건립되었다. 1995년에는 3미터의 좌대에 3.5미터에 달하는 이봉창 의사 동상이 세워졌다. 이봉창 의사는 서울 용산 문창보통학교 졸업 후 용산역 전철수로 일한 바 있었기에 효창공원에서 멀지 않은 곳에서 거주했을 것이라고 추정된다.

건국실천원양성소를 세우고

1947년 3월 20일 김구가 설립한 건국실천원양성소도 인근에 자리 잡았다. 이 양성소는 해방 이후 건국 운동에 주력이 될 건국 인재를 기르는 것을 목표로 규정하고 있었다. 설립 당시 명예소장은 이승만, 소장은 김구, 이사장은 장형(張炯, 1889~1964)이었다.

1948년 3월 15일 미군정청에서 열린 장덕수 피살 사건 8회 공판에

건국실천원양성소 2기생 기념사진 (1947.11.30.)
앞줄 가운데 김구의 모습이 보이고 김구의 왼쪽에 엄항섭이 앉아 있다.

서 증인 심문을 마친 김구는 효창공원의 삼의사에게 참배하고 독립
정신을 더욱 굳게 맹세했다. 이때 인근 원효사에 본부를 두고 있던 건
국실천원양성소의 50여 명은 "김구 씨 절대 지지" 등의 혈서를 썼다.
1949년 3월 20일 건국실천원양성소 개소 2주년 기념식도 효창공원에
서 거행되었고, 당시 김구가 훈화하는 장면은 사진으로 남아 있다.

삼의사를 모시다

나는 일본 동경에 있는 박열 동지에게 부탁하여 윤봉길, 이봉창, 백정기 세 분 열사의 유골을 본국으로 모셔 오게 하고 … 내가 친히 잡아 놓은 효창원 안에 있는 자리에 매장하기로 하였다. 제일 위에 안중근 의사의 유골을 봉안할 자리를 남기고, 그 다음에 세 분의 유골을 차례로 모시기로 하였다. (『백범일지』 중에서)

1932년 1월 8일 이봉창 의사는 일본인들이 천황으로 섬기던 히로히토를 향해 폭탄을 던졌다. 이 사건에 대해 중국 신문이 '불행부중 (不幸不中, 불행히도 명중하지 못함)'이라 표현함으로써 중일 간의 갈등은 더욱 고조되었다. 1932년 4월 29일 상하이를 점령한 일본군은 프랑스 조계의 홍커우공원에서 천장절 및 상하이 점령 기념 경축식을 개최했는데, 윤봉길 의사는 단상을 향해 물통으로 위장한 폭탄을 투척했다. 상하이 파견군 총사령관 시라카와 요시노리, 상하이 일본거류민단장 가와바타 사다쓰구 등이 목숨을 잃었고, 제3함대 사령관 노무라 기치사부로 등이 다쳤다. 중국의 국민당 주석 장제스는 "중국의 100만 대군도 해내지 못한 일을 한국 용사 1명이 단행했다"고 치하했다. 이봉창, 윤봉길 의사 등의 의거로 김구는 침체해 있던 독립운동에 새로운 힘을 불어넣었고, 백정기(白貞基, 1896~1934) 의사의 의거에도 영향을 미쳤다. 이들의 의거를 이끈 배경에 대해 김구는 『도왜실기』에서 다음과 같이 기술한 바 있다.

한국인이 걸어온 험난한 길을 세상에 호소하여, 정당한 공론을 구하려 함과 아울러 우리는 이른바 폭행을 찬양하는 자가 아니며, 혁명의 사선을 넘나든 우리에게는 이 길이 최소의 역량을 가지고 가장 위대한 효과를 거둘 수 있는 길이라는 확고한 인식에서 출발되었다.

해방 이후 김구가 가장 먼저 한 일들 중 하나는 삼의사의 유해를 찾아 모시는 일이었다. 김구의 판공실장 신현상이 박열 등과 함께 삼의사의 유해를 찾아 나섰다. '삼의사 국민장 봉장위원회'가 만들어졌다. 일본의 형무소에서 순국한 삼의사의 유해를 가까스로 찾은 '삼의사 국민장 봉장위원회'는 1946년 6월 15일 부산 공설운동장에서 추도회를 갖고, 다음 날 영결식을 했다. 이후 서울역에서 영혼을 받드는 봉영식을 한 후 삼의사의 유해는 태고사(현재의 조계사)에 옮겨졌다. 이후 유해를 모실 장소를 찾다가 마련된 곳이 효창공원이었다. 미군정청은 대한민국임시정부를 인정하지는 않았지만 삼의사의 국민장 봉장에 협조했다.

1946년 6월 30일에 치러지기로 했던 장례식은 장마로 인해 7월 6일로 늦춰졌다. 7월 6일 오후 1시 김구는 이승만을 비롯한 다른 정치 지도자들과 수만 명의 군중이 운집한 이 장례식에 참석했다. 제문은 그의 판공실장이었던 신현상이 읽었다. 장례위원장은 조완구가 맡았다. 태고사에 안치되어 있던 삼의사의 영구는 안국동을 출발하여 남대문을 거쳐 효창공원에 봉장되었다. 현재 삼의사의 묘는 효창공원의 북쪽 언덕에 자리하고 있다. 삼의사의 유해가 모셔진 자리 옆에는 유해를 찾지

삼의사의 유해를 마을로 모시고 오는 길(1946.6.16.)

효창공원에서 거행된 삼의사의 장례식(1946.7.6.)

못한 안중근 의사의 가묘가 함께 조성되었다. 안중근 의사는 다음과 같은 유언을 남겼으나 그의 유해는 아직도 찾지 못하고 있다.

내가 죽은 뒤에 나의 뼈를 하얼빈공원 곁에 묻어 두었다가, 우리 국권이 회복되거든 고국으로 반장해 다오. 나는 천국에 가서도 또한 마땅히 우리나라의 회복을 위해 힘쓸 것이다. 너희들은 돌아가서 동포들에게 각각 모두 나라의 책임을 지고 국민된 의무를 다하여, 마음을 같이하고 힘을 합하여 공로를 세우고 업을 이루도록 일러 다오. 대한독립의 소리가 천국에 들려오면, 나는 마땅히 춤추며 만세를 부를 것이다.

이봉창, 윤봉길, 백정기 삼의사의 묘와 안중근 의사 허묘에 참배하는 김구

대한민국임시정부 요인들과 김구의 묘역

1948년 9월 22일 오후 5시경 석오 이동녕과 동암 차리석의 유해도 효창공원에 안장되었다. 두 사람은 대한민국임시정부 주석과 비서장으로서 김구와 고락을 함께했다. 1948년 9월 22일 사회장으로 거행된 유해 봉환식은 휘문중학교에서 거행되었는데, 이 자리에는 김구와 함께 부통령 이시영, 국무총리 이범석, 국회의장 신익희 등이 참석했다. 특히, 이동녕은 상하이 프랑스 조계에 대한민국임시정부가 있던 당시 김구가 존경했고, 김구를 후원했던 선배 독립운동가였다. 석오 이동녕기념관은 천안의 독립기념관에서 멀지 않은 곳에 있다.

1948년 10월 7일 서거한 조성환의 유해도 효창공원 동남쪽 언덕에 안장되었다. 대한민국임시정부 군무부장의 경력을 고려하여 조성환의 영구는 과거 훈련원이던 서울운동장을 출발하여 효창공원으로 향했다. 조성환의 유해가 묻힌 자리는 원래 김구가 묻히기를 원했던 자리였다. 그는 이동녕을 존경하여 이동녕 묘의 왼쪽에 차리석의 묘소를 정하면서 자신이 사후에 묻힐 곳을 이동녕 묘소의 오른쪽에 마련해 놓았었다. 그러다 조성환이 먼저 별세하자 그 자리를 양보한 것이다.

효창공원에 삼의사의 묘역을 조성할 때와 마찬가지로 이러한 장례의 중심에는 김구가 있었다. 그로부터 1년이 채 안 되어 그가 효창공원에 안장될 줄은 아무도 몰랐다. 1949년 6월 26일 경교장 2층 거실 겸 집무실에서 안두희의 흉탄을 맞고 서거한 김구의 유해는 1949년 7월 5일 국민장을 마치고 효창공원에 안장되었다. 이후 1999년 4월 12일

효창공원에 있는 대한민국임시정부 요인 묘역. 왼쪽부터 조성환, 이동녕, 차리석의 묘 ⓒ김명섭

효창공원에 있는 김구의 묘 ⓒ김명섭

그보다 먼저 1924년에 별세했던 부인 최준례 여사의 유해와 합장되었다.

김구가 서거하자 개성의 한 부자가 자기 조상을 위해 준비해 놓았던 오석烏石으로 된 비석을 국민장위원회에 헌납했다. 이 비석의 전면에 오세창의 글씨로 "대한민국임시정부주석김구지묘大韓民國臨時政府主席金九之墓"라고 새겼다. 뒷면의 비문은 조완구가 썼다. 김구의 묘소를 동작동 국립현충원으로 이장해야 대한민국임시정부에서부터 이어지는 대한민국의 국가 정체성이 확립된다는 정치인들의 주장도 있지만 이러한 효창공원의 장중한 역사에 비추어 보면 가벼이 말하기 어려운 일이다.

건국실천원양성소

보신각과 탑골공원

덕수궁 석조전

서대문형무소

미군청정

심지연

경남대학교 명예교수

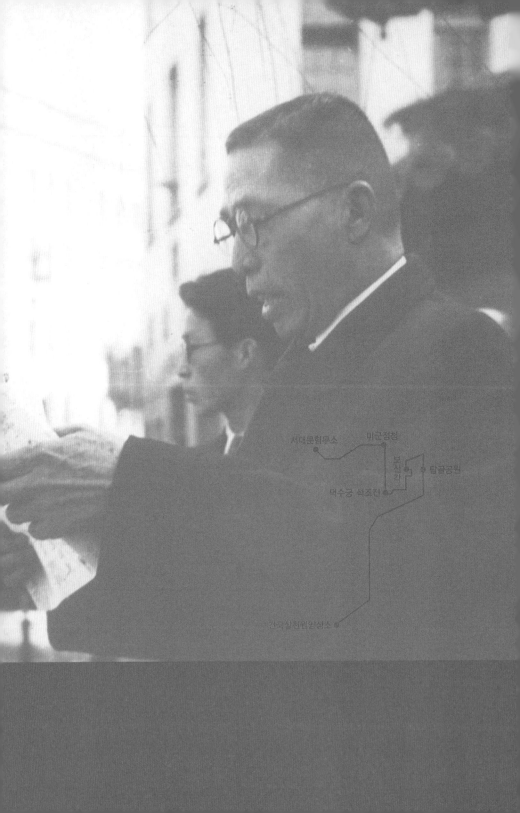

서대문형무소 ● 마포장청
보신각 ●
덕수궁 석조전 ● 탑골공원
한국실천원양성소 ●

미군정청

이제는 지난 시절의 역사가 되어 버린 미군정청은 조선왕조 500년 통치의 상징이라고 할 수 있는 경복궁 근정전 앞 일제가 세운 조선총독부 청사에 자리 잡고 있었다. 1945년 9월 9일 서울에 도착한 미군은 총독부 청사에서 조선총독과 조선 주둔 일본군 사령관의 항복을 받은 후 일제가 사용하고 있던 총독부 청사를 접수하여 본부로 사용했는데, 이후 이 건물은 군정이 실시되는 3년 동안 새로운 권력의 상징으로서 기능을 했다. 미군정 사령관과 미군정 장관이 이 건물에 근무하면서 한국인의 일상생활에 막대한 영향을 미치는 직접 통치 방식의 군정을 실시했기 때문이다.

조선총독부 건물에서 미군정청으로

　　김구도 미군정과 관련을 맺지 않을 수 없었다. 정부로서 인정받지 못해 개인 자격으로 귀국할 수밖에 없었기 때문이다. 1945년 11월 23일 김구는 오후 4시 40분 미군이 제공한 수송기를 타고 김포공항을 통해 27년 만에 입국, 숙소인 경교장으로 향했다. 김구는 경교장에서 미리 기다리고 있던 이승만과 환담한 뒤 기자들에게 개인 자격으로 귀국한 것이라고 말하고, 대변인을 통해 "오직 완전히 통일된 독립자주

미군정청으로 쓰였던 조선총독부 건물

의 민주국가를 완성하기 위하여 여생을 바칠 결심"이라고 귀국 소감을 밝혔다. 여생을 통일된 독립자주 민주국가의 완성을 위해 바치겠다는 귀국 결심은 1949년 6월 26일 오후 12시 36분 안두희의 흉탄으로 운명할 때까지 지속되었음을 우리는 김구가 발표한 각종 담화와 성명을 통해, 그리고 김구가 직접 제안하고 실천에 옮겼던 남북협상을 통해 알 수 있다.

귀국 다음 날인 11월 24일 오전, 김구는 처음으로 조선총독부 건물에 위치한 미군정청으로 가서 미군정 사령관인 하지와 미군정 장관인 아널드를 방문했다. 귀국 인사차 들른 것으로 이들을 만난 뒤 통일전선 결성에 관한 포부를 묻는 기자들에게 김구는 "나에게 이 박사 이상의 수완이 있다고 신빙하지 말아 주기 바란다"고 말했다. 그리고 오랫동안 해외에 있었던 만큼 국내 정세에 대해 정확한 판단을 내릴 수 없음을 이해해 달라고 그 자리에 모인 기자들에게 양해를 구했다.

1945년 11월 26일 오전 김구는 귀국 후 첫 공식 기자회견을 하기 위해 엄항섭 선전부장과 김규식의 아들인 김진동과 함께 미군정청을 다시 방문했다. 이날 하지 사령관은 김구를 "조선을 극히 사랑하시는 위대한 영도자로, 불타는 그의 애국적 정열에 대하여는 조선에 있는 미국 주둔군을 대표해서 경의를 표하는 바"라고 소개했다. 하지 사령관의 간곡한 소개를 받은 김구는 건국 사업에 대해 정책을 밝혀야 하지만 그러지 못함을 유감스럽게 생각한다면서, 귀국한 지 며칠 되지 않아 국내의 제반 사정을 확실히 알지 못하고 또 임시정부의 각원들이 다 귀국하지 못한 까닭에 구체적인 계획을 수립하지 못했기에 확언할 수 없다고 말했다. 그리고 광범위한 여론 수렴과 함께 미군정과도 조율하여 구체적인 정책을 마련할 계획임을 밝혔다.

김구는 그 후에도 여러 차례 미군정청을 방문하게 된다. 미군정의 요청에 따라 정책에 대한 자문이나 협의를 위해 갈 때도 있었고, 단순한 행사 참석을 위해 들를 때도 있었으며, 살인 사건의 증인으로 소환되어 미군이 개설한 군사 법정에 서기 위해 찾은 경우도 있었다. 독립운동의 영웅으로 김구를 융숭하게 응대했던 초기와 달리 미군정은 시간이 갈수록 냉담한 태도를 취하게 되는데, 이와 같은 변화는 미소의 냉전과 관련이 있다고 할 수 있다. 냉전이 격화되어 한반도의 남과 북에 별도의 정부 수립이 기정사실화되는 상황이어서 미군정은 김구가 제안한 남북협상은 지나치게 이상적이고 비현실적인 구상이라고 판단했기 때문이다.

1945년 12월 6일 김구는 하지 사령관의 초청을 받아 미군정청을 방문했는데, 이날 김구와 하지 사령관 외에도 이승만과 여운형 모두 4인이 자리를 함께한 것으로 알려졌다. 이날 모인 정치 지도자들이 구체적으로 무슨 논의를 했는지 발표되지는 않았지만 민족통일전선 결성에 관한 문제였을 것으로 추측된다. 미군정으로서는 국민들로부터 신망을 받고 있는 정치 지도자들이 한자리에 모여 민족을 통합할 수 있는 방안을 모색하고 이에 대한 해결책을 기대하고 초청한 것이었는데, 내용이 공개되지 않은 것으로 보아 구체적인 성과는 없었던 것으로 분석된다.

멀어지는 통일정부

김구가 1946년 2월 14일 오전 9시에 미군정청을 찾은 것은 남조선대한국민대표민주의원(이하 민주의원) 개원식에 참석하기 위해서였다. 거족적인 반탁운동의 열기를 모아 임시정부가 만든 비상국민회의가 각계 대표를 망라하여 최고정무위원회를 구성했는데, 미군정이 이를 군정 자문기관으로 삼아 민주의원으로 명명하고 출범시키는 날이었다. 28인으로 구성된 민주의원은 그 선언문에도 나와 있듯이 "미군 사령관이 한국의 과도정부 수립을 준비하는 노력에 자문 자격으로 협조하기" 위해, 그리고 "모든 노력을 경주하여 한국 인민의 현상을 개선하며 그로써 한국의 완전 독립을 속히 실현하기" 위해 출범한 것이었다. 의원들은 이승만을 민주의원의 의장에 김규식을 부의장에 추대했다.

이날 김구는 연설을 통해 민주의원의 출범 의의는 "되도록 빠른 기간에 남북 합치한 통일정권을 수립하여 38도선의 철폐, 교통행정의 통일, 산업경제의 재건설, 사회질서의 재정리 등등으로 국민을 도탄에서 건져 내는 건국 대업을 한 걸음 한 걸음 실천하여 정식정부의 완성을 지향하는 온갖 정치적 경제적 문화적 공작을 단행"하기 위한 것이라고 설명했다.

미군정이 민주의원을 출범시킨 것은 1946년 2월 8일 소련군이 북한에 출범시킨 북조선임시인민위원회에 대응하기 위한 측면이 크다고 할 수 있다. 소련군이 인민위원회를 통해 북한 주민의 의사를 반영

남조선대한국민대표민주의원 개원식 (1946.2.14.)

민주의원 관계자와 미군정 관계자들의 기념사진

하는 정책을 실시한다고 선전하는 상황에서 미군도 그에 상응하는 기관을 만들어 남한 주민의 의사를 수렴할 필요성을 느꼈던 것이다. 그리하여 임시정부가 최고정무위원으로 선출한 정당·사회단체 대표 28명을 대표 의원으로 위촉하여 미군정의 자문 위원으로 삼은 것이다. 최고정무위원회가 이처럼 미군정의 일개 자문기관이 되는 것에 대해 김성숙은 임시정부가 해산되고 말았다고 통탄하며 이에 참가한 김구를 비난하기도 했다.

김구가 공개적으로 다시 미군정청에 간 것은 1946년 8월 15일 정오 미군정청 광장에서 열리는 해방 1주년 기념식에 참석하기 위해서였다. 이날의 기념식에 김구와 이승만 등 우익 정당 대표 수십 명과 하지 사령관, 아널드 군정 장관 등 미군 관계자를 비롯하여 수많은 군중이 참가했다. 축사에서 김구는 미군정에 아첨하는 정상배와 사리사욕을 취하는 모리배들이 발호할 경우 우리의 자주독립은 멀어질 것을 경고하였다. 이날의 행사는 김구의 만세 삼창 선창으로 막을 내렸다.

이후 미군정은 자신들이 필요로 할 때만 미군정청으로 김구를 초청했는데, 이의 전형적인 사례가 좌우합작에 대한 지지 요청이었다. 김구는 하지 사령관의 초청에 따라 1946년 10월 11일 오전 10시 미군정청을 방문했는데, 이는 당시 미군정이 후원하고 있던 좌우합작에 김구가 찬성해 줄 것을 요청하기 위해서였다. 미군정은 정국이 양 극단으로 흐르는 것을 방지하기 위해 김규식과 여운형 등 중도진영이 중심이 되어 추진하는 좌우합작을 적극 후원했고, 이에 힘입어 좌우합작 7원칙이 발표되기도 했다. 이런 상황에서 김구의 지지가 더해질 경우 합작운동이 탄력을 받아 극좌와 극우를 견제할 수 있으리라고 미군정은 판단했기 때문이다.

이와 같은 요청을 받은 김구는 1946년 10월 14일 좌우합작의 목표는 민족 통일에 있고, 민족 통일의 목적은 독립자주 정권을 신속히 수립하는 데 있는 것이므로 자신은 좌우합작의 성공을 위해 지지하고 협조할 것이라는 담화를 발표했다. 그리고 다음 달 11월 18일에는 합작이라는 것이 전 민족의 통일인데, 민족의 통일 없이는 더 좋은 독립 촉성의 길이 없기 때문에 자신은 실패에 실패를 거듭하더라도 합작이 성공할 때까지 노력할 것이라고 덧붙였다. 김구의 지지에도 불구하고 좌우합작은 별반 성과를 내지 못했다. 김규식과 달리 좌우합작의 또 다른 중심축이었던 여운형이 남로당의 견제와 방해로 합작에 소극적으로 임했기 때문이다.

미소공동위원회가 재개되자 미군정은 다시 김구의 필요성을 느꼈다. 그리하여 하지 사령관은 1947년 5월 19일 김구를 미군정청으로 초청했다. 이 자리에는 김구 외에도 이승만을 비롯하여 조소앙, 김성수, 장덕수 등도 있었는데, 이는 우익진영의 미소공위 참여를 독려하기 위한 초청이었다. 당시 우익진영은 모스크바삼상회의에서 결정한 신탁통치 조항으로 인해 미소공위 참가를 반대하고 있었는데, 미군정은 김구와 이승만 등이 우익진영을 설득하여 미소공위에 참가하게 해줄 것을 바란 것이다.

미군정의 미소공위 참가 요청에 대해 김구는 이승만과 함께 미소공위 참가는 개인이나 단체의 자유에 일임키로 한다는 내용의 공동성명을 1947년 5월 23일 발표함으로써 미군정의 요청을 어느 정도 들어주었다. 그렇지만 자신들은 신탁통치 조항을 삭제하고 소련식 민주정체와 미국식 민주정체 중 장차 어느 것을 실행하려고 하는지 명확히 밝혀지기 전에는 참가하지 않겠다고 선언했다. 결국 탁치 문제에 대한 미소의 견해 차이로 인해 1947년 9월 미소공위가 결렬되어, 미소공위를 통한 한반도 통일정부 수립은 실현될 수 없었다.

군사재판의 증인으로 소환되다

이 무렵부터 김구에 대한 미군정의 태도가 바뀌게 되는데, 이러한 변화를 피부로 느낄 수 있게 한 것은 1947년 12월 2일 발생한 한민당의 정치부장인 장덕수 피살 사건이었다. 이날 장덕수가 자택에서 한독당원이 포함된 범인들에 의해 저격·피살당했는데, 이 사건에 김구가 관련되어 있을지 모른다는 소문이 돌았다. 이로 인해 12월 8일 시청 앞 광장에서 거행된 장덕수 장례식에 참석한 김구의 심정은 무척 착잡했으리라고 생각된다.

장덕수는 김구가 안악 양산학교 교장으로 근무할 때 그 학교 교사였던 장덕준의 동생으로 그가 일곱 살일 때부터 데려다 공부를 시켜 잘 알고 있었고, 귀국한 후에도 가깝게 지냈기에 더욱 그러했다. 그런데 문제는 장덕수 살해 사건에 김구가 관련되어 있다는 소문이 나돈 데 이어, 김구가 증인으로 소환되었다는 데 있었다. 미 군사 법정이 1948년

시청 앞 광장에서 열린 장덕수 장례식(1947. 12. 8.)

3월 8일 김구에게 장덕수 살해 사건의 공판에 증인으로 출석할 것을 요구하는 소환장을 발부한 것이다. '위대한 영도자'의 신분에서 '살해 교사' 혐의로 증인 심문을 받는 신분이 되고 말았는데, 소환장이 발부되자 이승만은 김구가 "이런 일에 관련되었으리라고는 믿을 수 없다"며 법정의 공정한 판결이 있을 줄 믿는다면서 김구의 관련설을 일축했지만, 김구의 군사 법정 소환을 막을 수는 없었다.

1948년 3월 12일 오전 9시 45분 김구는 군사재판이 열리는 미군정청 제1회의실로 미군 헌병에 인도되어 법정 한가운데에 있는 증인석에 자리를 잡았다. 오후 4시 30분까지 이어진 증인 심문에서 김구는 "나는 왜놈 이외에는 죽일 리가 없다"며 자신의 결백을 주장했다. 1948년 3월 15일 두 번째로 소환되어 증인 심문을 받는 자리에서 김구는 답변을 거절했다. 자신을 죄인이라고 보면 기소하여 체포하든지, 증인이라고 보면 자신은 더 이상 할 말이 없으니 퇴정하겠다고 선언한 것이다. 김구로서는 장덕수가 피살된 데 대해 누구보다도 자신이 더 분하게 생각하는 마당에 자신에게 죄를 뒤집어씌우려 하는 것에 대해 기가 막힌다는 심정에서 한 말이었다. 법정을 나온 김구는 증인으로 소환되어 심문받게 된 것에 대한 소감을 다음과 같이 밝혔다.

과거 수십 년 해외에서 조국의 독립을 위하여 분투하던 김구는 이 목적을 달성하지 못한 채로 고국에 돌아왔으니 삼천만 동포 앞에 허물을 받음이 마땅하거늘, 도리어 해외에서 망명 생활을 할 때보다도 안일한 생활을 하게 되고 국내 동포로부터 과분한 대우를 받고 있다는 것을 하느님이 꾸짖으시며 징계하시는 뜻으로, 나로 하여금 미군 법정에 나가서 과거에 내가 왜놈의 법정에서 당하던 단련을 다시 한 번 맛보게 하시는 뜻으로 생각하고, 마음속에 많이 뉘우치게 되었다.

통일된 자주독립 국가를 수립하지 못한 것에 대한 자괴감을 이같이 토로한 김구는 법정에서 나오는 길로 효창공원에 모신 삼의사 묘소에 참배하고, 선열의 영 앞에서 참회의 묵도를 올렸다. 그리고 다시는 미군정청에 발을 들여놓지 않았다.

김구가 미군정 관계자들을 만났던 제1회의실이나 군정 법정은 물론이고, 정상배와 모리배 들에게 경고를 보냈던 8·15해방 기념식장의 흔적을 지금은 전혀 찾을 길이 없다. 김구가 여러 차례 찾았던 미군정청은 정부 수립 후 중앙청으로 바뀌어 대한민국 권력의 심장으로서 기능을 하다가 국립중앙박물관으로 개조되었고, 김영삼 정부가 추진한 역사 바로 세우기 작업의 일환으로 1995년 8월 15일을 기해 해체 작업에 들어가, 그 흔적조차 찾을 수 없게 되었기 때문이다. 그리하여 지금은 텅 빈 경복궁 광장으로 되어 관광객들과 한복을 곱게 차려입은 젊은이들로 북적이고 있어 세월의 무상함을 말해 주고 있을 뿐이다.

장덕수 피살 사건 증인으로 미군정청 군사재판에 출두한 김구(1948.3.12.)

서대문형무소

옥중에서 뜻을 굳히다

모스크바삼상회의 결정의 여파로 반탁운동의 열기가 한창이 던 1946년 1월 23일, 김구는 자신이 일제강점기에 3년여를 복역했던 서대문형무소를 방문했다. 김구가 체포되어 서울로 이 송된 것이 1911년 초였기에 햇수로는 35년 만이라고 할 수 있 다. 서대문형무소는 김구가 황해도 안악에서 압송되던 때에는 '경성감옥'으로 불렸는데, 김구가 복역하던 시절 일제가 마포에 경성감옥을 새로 짓는 바람에 1912년 '서대문감옥'으로 이름이 바뀌었다. 이때부터 일제는 늘어나는 수요를 감당하기 위해 전국에 감옥을 짓기 시작했는데, 1936년에는 총 28곳에 감옥이 들어섰다. 그만큼 일제의 식민 통치에 대한 우리 민족의

저항이 극심했음을 나타내는 증거라고 할 수 있다.

1923년에는 '감옥'이라는 명칭 대신 '형무소'라는 이름을 쓰게 되어 '서대문감옥'은 '서대문형무소'로 불리다가, 김구가 방문하기 이틀 전인 1945년 11월 21일 '서울형무소'로 명칭이 바뀌었다. 지금은 '서대문형무소역사관'으로 개관되어 예전의 모습을 재현해 놓아 일제 식민 통치 시기 민족독립운동과 해방 이후 전개됐던 민주화운동의 산 교육장이 되었다. 2018년 들어 정부가 주도하는 3·1절 기념식이 거행됨으로써 대한민국임시정부의 법통을 재확인하고 '건국 100주년'을 공식화하는 장소가 되었다.

35년 만의 방문

1946년 1월 23일, 김구가 반탁운동 등으로 매우 바쁜 나날을 보내면서도 시간을 내어 서대문형무소를 방문한 것은 아마도 이날이 35년 전 자신이 일본 헌병에 체포되어 서울로 압송된 날이었기 때문이리라. 이날 같은 사건으로 체포되어 복역했던 김홍량, 도인권, 감익룡, 최익형 등과 함께 서대문형무소에서 기념사진을 찍은 것으로 보아 그렇게 짐작할 수 있다.

자신이 복역했던 현장에서 방문 기념사진을 찍으면서 김구는 일제의 모진 형벌과 고문을 견뎌 내던 시절을 떠올리며 감회에 젖었을 거라는 생각이 든다. 붉은 벽돌담을 쳐다보면서 김구는 우리 민족이 언젠가는 독립이 될 것이라는 희망을 갖고 수형 생활을 했던 서대문감옥 시절을 떠올리면서도, 또 다른 한편으로는 해방이 되었음에도 미소의 분할 점령으로 분단된 조국의 현실을 매우 가슴 아파했으리라.

1898년 인천감옥을 탈옥한 후 관헌의 체포를 피해 전국을 방랑하다 고향에 돌아온 김구는 1905년 이후부터는 서울의 우국지사들과 연락

35년 전 안악사건으로 수감되었던 서대문형무소를 다시 방문한 기념사진(1946.1.23.)

을 취해 가며 황해도 지방을 중심으로 교육구국운동과 애국계몽활동에 헌신하고 있었다. 김구는 교육만이 나라를 되찾는 유일한 방법이라고 생각하여 학교를 세워 학생들을 가르쳤다. 평소 김구의 이러한 행동을 못마땅하게 생각하던 일제는 안악사건과 관련지어 김구를 체포하여 서울로 압송했다.

안악사건이란 안명근이 황해도 일대에서 부호들로부터 자금을 거두어 그 자금으로 동지들을 모아 전신·전화선을 단절하고 각 지역에 산재한 일본군을 살해한다는 계획을 모의하다가 체포된 사건이다. 이를 기화로 일제는 민족운동의 구심점이 될 수 있는 서북 지방의 애국 지사들을 탄압하기 위해 안명근이 일본 총독을 암살하려 했다고 조작하고, 그 배후로 김구를 포함하여 황해도 일대의 애국 인사들을 대거 체포했다.

사건에 앞서 안명근은 자신의 거사 계획에 김구가 동의해 주기를 바랐지만, 김구는 인재의 양성이 우선이라며 간곡히 만류했었다. 장래 대규모 전쟁을 하려면 인재 양성 없이는 성공을 기할 수 없고, 일시적인 격발로는 단 사흘도 갈 수 없다는 생각에서 만류한 것이다. 김구와 헤어진 안명근은 며칠 후 사리원에서 체포되었는데, 일제는 안명근의 '총독 암살 음모'에 김구가 연관되었다는 혐의를 씌워 김구를 서울로 압송하여 온갖 고문과 악형을 가했다.

일제는 김구에게 보안법 위반이라는 죄목을 씌워 15년 형을 선고했는데, 이로써 김구는 생애 세 번째로 감옥에서 수형 생활을 하게 되었다. 15년 형도 부족하다고 생각한 일제는 105인사건과 연관되었다는 혐의로 다시 2년의 형량을 추가로 선고했다. 따라서 서대문감옥은 도합 17년 형을 선고받았던 곳이었기에 김구로서는 아무래도 감회가 깊을 수밖에 없었을 것이다.

서대문감옥에서

서대문감옥에서 수형 생활을 하면서 김구는 다양한 종류의 사람을 만났고, 많은 경험을 했다고 『백범일지』에 적었다. 무엇보다도 김구는 감옥의 서적 창고에 쌓인 책 가운데 이승만의 손자국과 눈물 흔적이 얼룩진 『광학류편廣學類編』이라든지 『태서신사泰西新史』 등과 같은 책들을 접하고 나서 책의 내용보다도 이승만의 얼굴을 보는 듯 반가워 무한한 느낌이 들었다고 술회하고 있다. 이를 볼 때 평소 이승만에 대한 김구의 생각이 어떠했는지 알 수 있는 단서가 된다.

당시 서대문감옥에 수용된 수인은 2000명 미만으로 대부분이 의병이라는 말을 듣고 김구는 아주 다행이라고 생각했다. 일찍이 나라를 위해 고군분투한 의로운 이들인 만큼 기백과 절개는 물론 경험으로도 배울 것이 아주 많을 것이라는 생각에서였다. 그러나 막상 이들을 접하고 보니 마음 쓱쓱이나 하는 행위가 순전한 강도로밖에 보이지 않아 크게 실망했다고 김구는 토로했다. 의병을 일으킨 목적이 무엇인지도 모르는 사람이 많았고, 국가가 무엇인지도 모른 채 단지 무기를 갖고 시골 마을을 휩쓸고 다니며 오랑캐 짓이나 한 것이 잘한 짓인 양 큰소리치는 사람이 대부분이라고 생각했기 때문이다. 그러나 김구가 옥중에서 만난 사람 중에는 이들처럼 허무맹랑한 사람만 있는 것은 아니었다. 기인도 있고 열사도 있었는데, 이의 대표적인 인물로 김구는 김 진사와 도인권을 들었다.

김구가 옥중에서 만난 기인은 활빈당의 일원인 김 진사였다. 김구의 회고에 따르면 고려가 망한 이래 고려왕조에 충성의 뜻을 지녔던 지사들이 비밀리에 집단을 만들고 약자를 돕고자 하는 선의善意에서 동지들을 모아 백성을 착취해서 부를 쌓은 자들의 재물을 탈취하여 가난한 백성을 구제해 왔는데, 500여 년 동안 조선왕조가 이를 도적이라고 이름을 붙여 압박하고 도살했지만 없애지 못했다는 것이다.

이 비밀결사의 내력이 몇백 년이나 되었지만 기강이 엄밀한 탓에 조직의 법도는 그대로 남아 있다는 말을 듣고서 김구는 나라를 찾겠다는 원대한 계획을 품은 자신들의 조직과 훈련 방식이 아주 유치한 것을 깨닫고 자괴감을 느끼기도 하였다. 그리고 김 진사로부터 사형死刑하는 수법을 배워 후일 임시정부의 경호원들에게 연습시켜 일제의 정탐을 처치하는 데 응용했다고 김구는 흉금을 털어놓기도 했다.

열사로서 가장 특출한 행동을 한 인물로 김구는 도인권을 들었다. 독실한 기독교 신자인 도인권은 우상 배격이라는 이유와 종교와 신앙의 자유를 들어 불상 앞에 결코 머리를 숙이지 않았다. 이 일을 계기로 감옥에서는 불상 앞에서 의무적으로 머리를 숙여야 하는 제도가 없어졌다. 그리고 감옥에서 간수가 상표와 상장을 준다고 해도 수인에게 상을 주는 것은 개전의 정이 있는 자에게 주는 것인데 자신은 당초에 죄가 없을 뿐만 아니라 자신이 수인이 된 것은 일본의 힘이 우세했기 때문이므로 상을 받을 이유가 없다고 거부했다.

도인권은 또한 일제가 가출옥을 시킨다고 해도 자신이 죄가 없는 것을 깨달았으면 판결을 취소하고 내보낼 것이지 가출옥의 '가假' 자가 마음에 들지 않아 기한이 찰 때까지 못 나간다고 말했다. 결국 도인권은 기한을 채워서야 나갈 수 있었는데, 그의 이러한 행동을 김구는 "단지 강도들이 능히 가질 수 없는, 정도를 넘어선 것이었다"고 말했다. 그리고 '고목들로 가득한 산에 잎사귀 하나 푸른萬山枯木一葉靑' 특별함을 흠모하여 감탄치 않을 사람이 없다고 그의 기개를 높이 평가했다.

이름과 호를 바꾸다

김구는 서대문감옥에 있는 동안 메이지明治 일왕의 사망으로 형기가 15년에서 7년으로 감형되었고, 몇 달 후에는 메이지의 처가 사망하여 다시 남은 형기의 3분의 1을 감해 5년여의 형으로 되어 불과 2년만 있으면 세상에 나가 활동할 수 있게 되었다. 이렇게 되자 세상에 나가면 변절하느니 차라리 성결聖潔한 정신을 품은 채 죽어 버리겠다는 결심의 표시로 이름을 '구龜'에서 '구九'로 고치고, 호를 '백범白凡'으로 고쳐 이를 동지들에게 알렸다. 일제의 호적에서 벗어나겠다는 뜻에서 이름을 고쳤고, 우리나라의 하층민들, 곧 백정과 범부들이라도 애국심이 자기 정도는 되어야만 완전한 독립국가의 국민이 되겠다는 그런 바람을 갖자는 의미에서 호를 바꾼 것이다.

심신이 고통스럽기는 하지만 나름대로 의미 있는 수형 생활을 하던 김구는 1914년 잔여 형기 2년을 채 못 남기고 인천감옥으로 이감되었다. 김구가 간수인 일본인 과장과 싸움한 것에 대한 보복으로 노역이 심한 인천 축항 공사를 하는 곳으로 김구를 보낸 것이다. 1898년 3월 9일 한밤중에 탈옥 도주한 인천감옥으로 철사로 허리를 묶인 채 다시 가는 김구의 심정은 이루 형용할 수 없을 정도로 괴로웠으리라는 것은 상상을 하고도 남음이 있다. 축항 공사장에서 강제 노역이 너무나도 괴로워 김구는 한때 투신자살을 할 생각도 했으나 마음을 고쳐 열심히 일한 덕분에 1915년 8월 가출옥을 할 수 있었다.

이처럼 투신자살을 생각할 정도로 감옥 생활이 수인들에게는 너무나도 괴롭고 감화를 전혀 줄 수 없다는 생각을 가졌기에, 김구는 우리 나라가 독립한 후에는 감옥의 간수부터 대학교수의 자격을 가진 사람으로 쓰고, 죄인을 죄인으로 보는 것보다는 국민의 일원으로 보아 선善으로 이끄는 데 힘을 모아야 할 것이라고 주장했다. 그리고 재범을 방지하기 위해서라도 감옥에 갔던 사람이라 하여 멸시하지 말고 대학생의 자격으로 대해 주어야 감옥을 세운 가치가 있을 것이라고 제안했다.

독립운동의 산실

김구가 3년 가까이 수형 생활을 했던 서대문형무소는 의병장

이강년, 허위, 이인영을 비롯하여 안창호, 여운형, 유관순, 이승만, 한용운 등 일제강점기 수많은 독립운동가들이 투옥되거나 옥중에서 생을 마감했던 곳이다. 우리 민족의 한이 서린 역사의 현장이기에 1988년 2월 27일에는 국가 사적으로 지정되었다. 그리고 1998년 11월 5일에는 서대문형무소역사관으로 개관되어 치열하게 독립운동을 전개했던 선열들의 각종 자료 및 유물 들을 전시하여 국민교육의 장으로서 그 역할을 톡톡히 하고 있다.

서대문형무소는 숱한 독립운동가들이 거쳐 간 곳이었을 뿐만 아니라, 해방 이후 좌우익의 이념 문제와 반독재 민주화운동 등 정치·사회문제 현장의 한가운데에 있었다. 예를 들어 보면 1958년의 진보당사건, 1961년의 민족일보사건, 1964년의 인민혁명당사건, 1967년의 동백림사건, 1975년의 인혁당재건위사건 등의 관련자들이 이곳에 수감되거나 사형을 당하였다. 이후 이문영, 문동환, 고은, 김근태, 한승헌, 백기완, 이부영, 함세웅 등 긴급조치 위반자들을 포함하여 1987년 6월 민주항쟁에 이르기까지 수많은 민주화운동가들이 이곳에 수감되어 고초를 겪었고, 그 가운데 일부는 목숨을 잃기도 했다. 서대문형무소는 이와 같은 희생을 기리는 역사의 현장으로 많은 방문객들을 맞이하고 있다.

덕수궁 석조전

덕수궁은 19세기 말에서 20세기 초에 걸쳐 조선왕조의 크고 작은 일들이 일어난 곳이다. 해방 후에도 여전히 민족의 운명을 가르는 숱한 일들을 지켜본 한국 근현대사의 중요한 현장 가운데 하나라고 할 수 있다. 이곳에서 1897년 영친왕 이은李垠이 태어났고, 1904년에는 헌종의 계비 명헌태후 홍씨洪氏가 세상을 떠났으며, 황태자비 민씨閔氏가 별세한 곳인 동시에 순종에게 제위를 물려준 고종이 1919년 승하한 곳이기도 하다.

특히 고종이 러시아 공사관에서 이곳으로 거처를 옮긴 후 서양식으로 지은 건물 중 하나인 석조전은 해방 후에는 김구를 총리로 선출한 남조선대한국민대표민주의원이 한동안 회의를 가

덕수궁 석조전 동관 ©김명섭

졌던 곳이기도 하다. 석조전은 또한 미소공동위원회와 유엔한
국임시위원단이 회의를 개최하며 우리 민족의 운명을 좌우하
는 중대한 결정을 내렸던 역사적인 장소로, 김구도 여기에서
민족문제에 관한 자신의 견해를 밝힌 적이 있기에 김구와의 인
연이 아주 깊은 곳이라고 할 수 있다.

의견 개진의 장, 대한문 앞 광장

덕수궁은 시내 중심가에 위치하고 있어 대한문 앞 광장은 조선 왕조 시대는 물론이었고, 오늘날에도 크고 작은 정치적인 사건이 발생할 때마다 자신의 의견을 개진하려는 사람들로 인산인해를 이루는 장소이다. 이곳에서 개화에 반대하는 유림들이 땅바닥에 엎드려 지부상소持斧上疏를 하기도 했고, 1905년에는 김구가 기독교도들과 함께 을사조약 체결에 반대하는 상소를 올리는 대열에 참가하며 시위를 벌인 적도 있었다.

———

덕수궁의 정문인 대한문

이곳에서는 해방 이후에도 정치 문제와 관련된 시위가 끊이지 않았는데, 신탁통치에 반대하는 군중들이 모여 반탁 시위를 하는 단골 장소가 되었기에 미군정은 미소공위가 개최되는 기간 동안에는 일체의 시위를 금지시키기도 했다. 정부 수립 후에는 독재에 항거하며 민주화를 요구하는 학생과 시민이 대거 모이는 장소로, 어떤 때는 노동3권 보장을 요구하는 노동자들이 집회하는 장소로, 그리고 최근에는 광화문 광장에서 열린 촛불집회에 맞선 시위대가 태극기와 성조기를 들고 행진하는 장소로 이용되고 있는 실정이다.

덕수궁으로 출근하다

김구가 덕수궁 석조전과 처음으로 인연을 맺은 것은 1946년 2월 18일이었다. 1946년 2월 14일 미군정청에서 개원식을 갖고 첫 회의를 마친 민주의원은 2차 회의부터는 덕수궁 석조전을 의사당으로 사용하기로 결정했기 때문이다. 민주의원의 회의장으로 활용하기 위해 보수를 마친 석조전에서 1946년 2월 18일부터 2차 회의가 열린 것이다.

이날 회의는 김구와 이승만을 비롯하여 23명이 참석한 가운데 비공개로 진행되었다. 2차 회의에서 의원들은 사무 처리 방식과 아울러 3·1절 기념행사를 전국적으로 개최할 것 등을 토의한 것으로 알려졌다. 그리고 2월 23일에는 정·부의장 각 1인과 총리 1인을 비롯하여 부장 15인과 국장 4인 등을 두는 32개조의 민주의원 규범을 통과시켰다.

이 규정에 따라 1946년 2월 25일에는 민주의원의 집행부를 선출했는데, 의장과 부의장에 이승만과 김규식이 그리고 총리에는 김구가 각각 선임되었다. 민주의원 규범 9조에는 "총리는 부장회의의 수반이 되어 일반 행정의 통일을 기함"이라고 규정되어 있어, 사실상 김구는 내각책임제하의 수상과 같은 업무를 수행하게 되었다. 이와 같은 직책을 맡아서인지 김구는 거의 매일 열리다시피 한 민주의원 회의에 빠지지 않고 덕수궁 석조전으로 출근했으며, 총리의 신분으로 지방을 순시하기도 했다.

덕수궁 석조전을 의사당으로 사용하던 민주의원은 1946년 3월 5일 창덕궁 인정전 동행각으로 회의 장소를 옮기게 된다. 민주의원이 의사당으로 사용하던 석조전에서 1946년 3월 20일부터 미소 양군 대표들로 구성되는 미소공동위원회 회의가 열리게 되어, 민주의원으로서는 미소공위에 회의장을 내줄 수밖에 없었다. 민주의원 사무실이 덕수궁

덕수궁 석조전 대식당 ©김명섭

에서 창덕궁으로 옮겨 가면서 김구도 창덕궁으로 출근했고, 여기서 개최되는 회의에 참석하여 미소공위 참여 문제와 같은 각종 중요 정책을 논의했다.

미소공동위원회 회의장

김구가 다시 덕수궁 석조전을 찾은 것은 그로부터 정확하게 1년 뒤인 1947년 3월 5일로 미소공위 미국 측 수석대표인 브라운 소장의 요청에 따른 것이었다. 이날 김구는 조완구, 이시영, 유림 3인과 함께 덕수궁에서 브라운 소장을 만나 정권을 임시정부에 이양해 줄 것을 요청했는데, 브라운은 김구의 요구를 거절했다. 이에 김구는 해방 직후 중국에서 웨드마이어 장군을 만나 임시정부를 정식 정부로 승인해 줄 것을 요청한 적이 있었던 사실을 자세히 설명하며 정권 이양을 요구했다.

김구의 설명에 의하면 당시 웨드마이어 장군이 미 국무성에 문의한 결과 첫째, 미국이 해외 정권을 승인할 경우 국내에 또 다른 정부가 수립될 우려가 있어 이를 수용할 수 없으며, 둘째, 임시정부를 국내 인사들이 전적으로 지지한다고 볼 수 없기 때문에 승인할 수 없다고 말했다는 것이다. 그러나 막상 자신이 국내에 들어와 보니 국민들이 임시정부를 절대 지지하고 있어 국무성이 제시한 두 조건은 해소된 것이나 마찬가지라고 보기 때문에, 미군정은 임시정부를 승인해 주어야 한다고 주장했다. 이에 브라운 소장은 사실이 그렇다 하더라도 당시 미국의 견해와 현재의 정세와는 크게 다르므로 임시정부를 정식정부로 승인해 줄 수 없다고 답변했다.

김구는 1947년 5월 18일 오전 9시 브라운 소장의 요청에 따라 다시 덕수궁을 방문했다. 1년 전에 무기 휴회되었던 미소공위가 재개됨에 따라 우익진영의 미소공위 참가를 요청하기 위해 김구와 이승만을 비롯하여 조소앙, 김성수, 장덕수 등 우익진영 인사들을 초청한 것이다. 당시 우익진영은 신탁통치 조항이 있는 한 미소공위에는 참가하지 않겠다는 입장을 고수하고 있었는데, 미군정은 우선 미소공위에 참가하여 정부 수립 문제를 협의하고 탁치 문제는 정부 수립 이후에 다시 논의하자는 논리로 이들을 설득했다.

다음 날인 1947년 5월 19일에도 김구와 이승만 등은 하지 사령관의 초청을 받아 요담을 했는데, 이날도 역시 미군정은 우익진영의 미소공위 참가를 요청했지만 탁치에 관한 문제로 합의에 이르지는 못했다. 이처럼 미군정이 집요하게 우익진영의 공위 참가를 요청하자, 김구와 이승만은 미소공위 참가 여부는 개인이나 단체에 일임하나 자신들은 '신탁통치'와 '민주정체'에 관한 해석을 충분히 납득할 수 있기 전까지는 공위 참가를 유보한다고 하는 내용의 공동성명을 발표했다.

미소공위 참가 여부를 개별적인 판단에 일임한다는 김구와 이승만의 공동성명이 나오자, 우익진영 대부분은 미소공위와의 협의에 참가하겠다고 신청했다. 우익진영이 대거 참가 신청을 하자, 소련 측은 반탁시위에 참가했던 단체들은 공위와의 협의에 참가할 자격이 없다며 이들의 공위 참가를 절대로 받아들일 수 없다고 거부했다. 이에 반해 미국 측은 '언론과 표현의 자유'가 있기 때문에 탁치에 대한 반대 의사 표시는 얼마든지 자유롭게 할 수 있으므로 이들의 참가를 막을 이유가 없다고 맞섰다.

이처럼 미소공위와의 협의에 참가할 단체의 자격 문제를 놓고 미국과 소련의 견해가 대립되는 바람에 미소공위는 다시 결렬될 수밖에 없었고, 공위가 결렬되자 미국은 한반도 문제를 유엔에 상정했다. 이로써 한반도 문제는 미소공위를 떠나 유엔으로 이관되었는데, 한반도 문제를 이관받은 유엔은 이 문제를 처리하기 위해 유엔한국임시위원단을 구성하여 서울에 파견했다.

유엔한국임시위원단과 정부 수립을 논하다

1948년 초 서울에 온 유엔한국임시위원단은 덕수궁에 사무실을 두고 정부 수립 방안에 대해 김구를 비롯한 여러 정치인들의 다양한 의견을 수렴했다. 이 과정에서 김구는 세 번째로 덕수궁과 인연을 맺게 된다. 유엔위원단의 요청에 따라 정부 수립 문제에 관해 자신의 견해를 밝히기 위해 덕수궁을 찾게 되었기 때문이다.

김구가 덕수궁에 간 것은 1948년 1월 26일 오후 1시 30분으로, 김구에 앞서 유엔위원단과 면담한 이승만은 이들과의 면담이 끝난 후 자신은 남한 총선거 실시를 주장했다고 말했다. 이와 반대로 김구는 통일정부 수립을 위해서는 남북의 정치인들이 만나 회담할 필요가 있음

유엔한국임시위원단 회의에 참석한 김구(1948.1.26.)

유엔한국임시위원단 환영 행렬(1948.1.26.) ⓒUnited Nation

을 강조했다고 밝혔다.

분단을 막기 위해 유엔위원단에 남북요인회담의 필요성을 강조했던 김구는 1948년 1월 28일 오전에는 이승만을, 오후에는 김규식을 각각 만났다. 아마도 김구는 정부 수립 방안에 관한 자신의 의견을 밝히기 위해서였다고 판단된다. 요담을 마치고 총선거에 의한 통일된 완전 자주 정부의 수립을 요구한다는 다음과 같은 내용의 의견서를 유엔위원단에 보낸 것으로 보아 충분히 그런 개연성이 있다고 분석된다.

"남북 한인지도자회담을 소집함을 요구한다. 한국 문제는 결국 한인이 해결할 것이다. 만일 한인 자체가 한국 문제 해결에 관하여 공통되는 안을 작성하지 못한다면 유엔의 협조도 도로徒勞 무공無功할 것이다. 그러므로 하시何時든지 남북 지도자회의가 필요한 것이다."

이처럼 통일정부 수립 운동에 나선 김구는 1948년 2월 6일 오전 김규식과 함께 유엔위원단의 숙소인 국제호텔로 가서 메논 의장 등을 만났다. 이 자리에서 김구는 유엔위원단이 유엔 소총회에 한국 사정을 상세하게 보고해 줄 것과 유엔위원단 본래의 사명을 달성해 줄 것을 요청한 것으로 알려졌다. 단독정부 수립이 가시화되는 상황에서 유엔이 통일정부 수립에 적극적으로 나서 줄 것을 당부한 것이다. 이를 보다 구체화하기 위해 김구는 1948년 2월 9일에는 남북 정당 대표들의 회담을 추진하는 데 유엔위원단이 적극 협력해 주기를 바란다는 내용의 서신을 김규식과 연명으로 메논 의장에게 보냈다.

그러나 통일정부 수립에 대한 김구의 기대와 달리 유엔 소총회는 1948년 2월 26일 31 대 2로 선거가 가능한 지역에서만 선거를 실시한다는 결정을 내렸다. 소련의 반대로 남북한 총선거가 불가능한 상황이므로, 우선 남한에서만이라도 선거를 실시하여 정부를 수립하자는 미국의 제안이 다수의 지지를 얻어 통과된 것이다. 이에 크게 실망한 김구는 1948년 2월 28일 남한 단독선거는 민주주의의 파산을 선고한 것이나 다름없다고 비판하고 자신은 통일을 실현하기 위해 노력하겠다고 다음과 같이 말했다.

> 내외 정국을 막론하고 정의와 평화를 애호함에서 유엔에 대하여 큰 기대를 가지고 있던 절대 다수의 인사는 너무나 실망을 가질 것이다. 나는 이로부터 세계가 다시 혼란으로 들어갈 것을 우려한다. 그러나 역사의 바퀴는 앞으로 구르고 인류는 진보하는 것이다. 그러므로 최후의 승리는 오직 정의에만 있는 것이다. 나는 조국을 분할하는 남한의 단선單選도 북한의 '인민공화국'도 반대한다. 오직 정의의 깃발을 잡고 절대 다수의 애국 동포들과 함께 조국의 통일과 완전 자주독립을 실현하기 위하여만 계속하겠다.

이후 김구는 삼팔선을 그대로 두고는 민족과 국토를 통일할 수 없을 뿐만 아니라, 민생문제를 해결할 수 없기 때문에 남한만의 선거에는 응할 수 없다고 단언하고, 김규식과 함께 남북회담 준비에 나섰다. 김구가 선거 불참을 선언하자 하지 사령관을 비롯하여 유엔위원단 위원들은 김구를 만나 선거에 협조할 것을 요청했으나, 김구는 이를 단호히 거부했다. 이에 덧붙여 김구는 북한의 김일성과 김두봉 두 사람에게 남북요인회담을 제의하는 서신을 이미 지난 2월 25일에 전달했다고 발표함으로써 남한만의 선거에 반대한다는 뜻을 분명히 했다. 그리고 1948년 4월 19일 북행을 만류하는 학생들 앞에서 자신이 북으로 가는 것은 일신의 안일을 위해서가 아니라 민족의 정의와 통일을 위해서라는 소회를 피력하고 북행길에 올랐다.

비장한 각오를 갖고 임했던 남북회담에서 돌아온 김구는 1948년 5월 6일 "남북의 우리 동포는 통일적으로 영구히 손잡고 살아가겠다는 기초를 튼튼히 닦아 놓았다. 첫술에 배부른 법은 없는 것이니 다만 한두 번 또다시 만난다면 우리의 목적 달성을 확신하는 바"라고 북한에 다녀온 소감을 말했다. 그리고 김규식과 함께 발표한 공동성명을 통해 북한 당국자도 단독정부를 절대 수립하지 않겠다고 확언했다고 밝혔지만, 이 확언은 얼마 지나지 않아 허위임이 판명되었다.

선거에 불참한 김구는 1948년 5월 13일 오전 10시 유엔위원단의 초청을 받아 덕수궁에 갔다. 남북회담에 관한 견해와 감상 등에 대한 위원들의 질의에 응하기 위해서였다. 이날 미소 양군이 철퇴한다면 진공眞空 기간의 치안은 어떻게 유지할 것인가라는 질문에 대해 김구는 "공동성명서에 표시한 바와 같이 남북 양편이 서로 침범하지 않고 각기 현상을 유지하며 전국정치회의를 소집하여 일체 문제를 토의 해결할 것"이라고 답변했다. 북한에서 헌법 초안이 통과된 데 대해서 김구는 이것은 장차 국회에서 헌법을 토의할 때 제안하기 위한 초안으로 "북조선에서 즉시 실행하려는 것이 아니라고 한다"고 답변했다.

김구의 불참 속에 치러진 5·10총선에서 선출된 국회의원으로 국회가 구성되었으며, 국회에서 제정한 헌법에 따라 이승만이 대통령으로 선출되고 1948년 8월 15일에는 대한민국정부가 수립되었다. 뒤를 이어 1948년 9월 9일 북한에도 정부가 들어섬으로써 한반도에 두 개의 정부가 수립되어 동족상잔의 비극이 잉태되는 여건이 조성되었다. 바로 이 점에서 분단을 막기 위해 노력했던 김구는 선견지명의 소유자라고 할 수 있다.

석조전에서 통일 방안을 모색하다

남과 북에 별도의 정부가 수립되어 정통성 경쟁이 전개되자, 유엔은 남북통일을 실천하기 위한 방안을 모색하기 위해 다시 유엔한국위원단을 파견하기로 했다. 이에 따라 유엔위원단 제1진이 1년여 만인 1949년 1월 30일 서울에 도착하여 덕수궁에 짐을 풀었다. 유엔위원단의 재입국에 대한 소감을 묻는 기자들의 질문에 김구는 정부가 있는 이상 외무부에서 할 일이고 개인이나 단체가 그에 대해 논할 문제는 아니라고 생각한다면서 "다만 작년과 같이 한위韓委에 오라고 하며 묻는 말이 있다면 내 의견을 말할 뿐"이라고 답변했다.

서울에 다시 온 이후 정부와 국회 관계자들 면담, 그리고 삼팔선과 지방 시찰 등의 일정을 보내던 유엔위원단은 1949년 3월 12일 사무국원을 경교장으로 보내 김구에게 "한국의 평화적인 통일을 원조하기 위하여 내한"했다는 말을 전했다. 이에 대해 김구는 유엔위원단이 "평화적 남북통일안을 제시하기를 기대한다"고 응수했다. 사무국원 말고도 김구는 개별적으로 경교장을 방문한 유엔위원단의 인도, 시리아, 중국 대표 등과 통일 문제 등에 관한 의견을 나누었다.

정부 관계자들과 협의를 마친 유엔위원단은 1949년 5월 24일에 다시 경교장으로 사무국원을 보내, 통일 문제에 관해 자신들과 협의해 줄 것을 김구에게 요청했다. 유엔위원단의 공식 초청을 받은 김구는 1949년 5월 31일 네 번째로 인연을 맺게 된 덕수궁 석조전으로 가, 통일 문제 등에 관해 2시간에 걸쳐 자신의 생각을 말했다. 이 자리에서 김구는 자신이 유엔위원단과의 협의에 응하는 것은 오직 남북의 모든 한인들이 화평통일을 갈망하고 있다는 사실과 보편적인 의견을 말하기 위해서라고 말했다. 협의가 끝난 후 김구는 협의 내용을 밝힌 장문의 보도문을 발표했는데, 남북 정권에 직접 가담하지 않은 정당·사회단체의 노력이 필요하다고 다음과 같이 말했다.

> 나의 의견으로는 남북 화평통일의 문호를 타개하기 위하여 우선 남북 민간지도자회담 혹은 정당·사회단체 대표회의를 개최하고 남북통일을 실현하기 위한 어떤 가능한 방법을 협의해 보는 것이 좋겠다고 생각한다. 만약에 이 회담에서 더 좋은 새로운 통일 방안이 성립된다면 더욱 좋을 것이다.

이와 같이 유엔위원단에 보다 좋은 통일 방안의 모색을 위해 새로운 형태의 남북회담을 제안했던 김구는 유엔위원단이 이를 조속히 성사

시켜 줄 것을 기대했지만 실현되지 못했다. 그러한 기대가 실현되기도 전인 1949년 6월 26일 안두희의 저격으로 김구가 운명했기 때문이다. 김구의 피살 소식을 전해 들은 덕수궁의 유엔위원단은 이틀 뒤인 6월 28일 인도 대표를 경교장으로 보내 유가족을 위로하고, 다음과 같은 조문을 발표하며 어느 누구보다도 김구의 서거를 애통해했다.

> 유엔한국위원단은 김구 선생의 흉보에 접하였습니다. 본 위원단은 본인을 통하여 귀하와 유가족 제위에게 이 불의의 서거에 대한 심심한 조의를 표하는 동시에 선생이 별세하시었다 하여 한국의 완전한 독립과 통일의 대의에 미치신 고인의 감훈感薰이 결코 감소되지 않으리라는 신념을 전달하는 바입니다. 또한 위원단은 이 위대하신 애국지사의 공헌이 단절된 이 시기는 전 한인이 고인의 평화와 이해의 정신을 체體하여 자유의 대의에 대한 봉사를 일층 더 각오할 계기가 될 것을 믿는 바입니다.

완전 독립과 민족 통일을 향한 김구의 염원이 좌절된 것을 애석하게 여겼던 유엔위원단의 충정을 아는지 모르는지, 덕수궁 앞 광장은 오늘날도 각종 행사나 시위가 자주 열려 수많은 인파들을 불러 모으고 있다. 이를 볼 때 덕수궁 석조전은 우리의 근현대사를 지켜본 산증인이라고 할 수 있다. 그중에서도 미소공위와 유엔위원단을 상대로 통일과 독립의 실현을 위해 열변을 토했던 김구의 체취가 서려 있는 곳이라는 사실이 이곳을 우리 근현대사의 명소로 만들고 있는 것이다.

보신각과 탑골공원

종로 네거리 보신각 주변은 해마다 12월 31일 자정에 보신각의 타종 소리를 들으려는 사람들로 인산인해를 이룬다. 지난 한 해의 아쉬움과 온갖 시름을 달래고, 희망에 찬 새해를 맞이하려는 소박한 심정에서 수많은 선남선녀들이 손에 손을 잡고 대한민국의 가장 대표적인 새해맞이 행사를 보기 위해 운집하는 것이다.

조선 시대에는 '파루罷漏'라고 하여 오전 4시경 33천天에 고하는 뜻으로 33번 종을 쳐서 성문을 열었던 풍습이 오늘날에는 새해를 여는 행사로 바뀐 이후 나타나는 새로운 풍습이다. 예나 지금이나 33번의 타종은 바뀌지 않았지만, 그 의미는 성문을 여는 것이 아니라 묵은해를 보내고 새해를 맞는 '제야의 종소리'로 바뀐 것이다.

타종의 의미만 바뀐 것이 아니라 전통 한옥 형태의 누각도 창건 이후 전란과 잦은 소실로 중건을 거듭하여 외양을 바꿔 오다가, 1979년 8월 15일에 와서야 비로소 오늘날의 모습을 갖추게 되었다. 이처럼 민족의 애환이 서린 보신각에도 김구의 자취가 배어 있음을 알게 된다면, 아마도 제야의 종소리는 또 다른 의미로 우리에게 다가오리라는 생각이 든다. 1946년 해방 후 처음으로 개최된 3·1절 기념식이 보신각 앞에서 열렸다. 김구는 바로 그 자리에서 축사를 통해 선열의 위업을 추모하고 거룩한 뜻을 기념했다.

보신각

1946년 3·1절 기념식

1946년 3월 1일 남조선대한국민대표민주의원과 미군정은 보신각에서 3·1독립만세운동 27주년 기념식을 거행했다. 행사 전날인 2월 28일 민주의원은 중요 정당의 대표들에게 보신각에서 거행하는 기념식에 참석해 줄 것을 요청하는 다음과 같은 내용의 초청장을 보냈다.

대한국민대표민주의원은 귀하가 한 정당 대표로서 3월 1일 상오 9시 30분 종로 보신각 앞에서 거행되는 제27회 독립선언기념식에 광림하심을 영광으로 여깁니다. 조선 독립에 노력하는 최선에 대하여는 의견의 상이가 있으나 자유를 희망하는 점에 있어서는 일치할 것입니다. 종로 '인정人定'종은 여러 방면으로부터 칠 수 있으나 그 소리는 자유라는 소리 하나일 것입니다.

비록 소속된 정파와 이념은 다르지만 독립과 자유를 원하는 마음은 같을 것이므로 자리를 함께하여 3·1운동의 독립 정신을 기리자는 내용으로 초청을 한 것인데, 민주의원의 희망대로 행사가 치러지지는 않았다. 해방 후 처음으로 맞는 3·1절이었음에도 불구하고 좌우 양 진영으로 나뉘어 별도로 기념행사를 치른 것인데, 이것이 김구를 비롯한 많은 뜻있는 사람들의 마음을 아프게 만들었을 것이다. 이처럼 의미 있는 기념행사가 별도로 치러지게 됨으로써 양 진영은 통합의 길에서 더욱 멀어지게 되었다.

민주의원의 이날 행사는 이승만의 개회사에 이어 33인의 대표로 오세창의 독립선언문 낭독이 있었고, 김구의 축사와 정당 대표들의 타종 행사, 그리고 김규식의 만세 삼창 선창 등으로 진행되었다. 축사에서 김구는 '오늘이 세계 혁명운동 사상에 찬연히 빛나고 있는 우리의 가장 큰 국경일'인 동시에 '한국 민족이라는 국한된 의미뿐만 아니라 전 세계의 압박받는 약소민족에게도 이러한 위대한 힘이 있다는 것을 보여준 사실'이라고 규정하고 다음과 같이 말했다.

> 3·1운동의 위대한 의의는 실로 그 통일성에 있는 것입니다. 지역의 동서가 없었고 계급의 상하가 없었고, 종교 사상 모든 국한된 입장과 태도를 버리고 오로지 나라와 겨레의 독립과 자유를 찾자는 불덩어리와 같은 일념에서 이 운동을 일관했다는 점을 우리는 세상에 자랑할 수 있는 것입니다. 거기에 추호라도 개인의 이욕을 생각하는 불순함이 있었다면 이 운동으로 하여금 우리의 뜻한 바를 세계에 알릴 수 없었을 것입니다. 회고하면 1905년에 보호조약으로 왜적이 우리 한국을 실질적으로 점령하기 전부터 우리 민족은 동학당 혹은 의병 등 여러 가지 형태로 왜적에게 반항하였으니 이런 개별적 부분적 운동이 통일된 지도 밑에서 세계적으로 한국 민족이 생존권을 요구한 것이 이 운동입니다.

탑골공원의 기념식

　　보신각에서 기념행사를 거행하는 민주의원에 대응하기 위해 좌익진영의 통일전선체인 민주주의민족전선(이하 민전)은 별도의 3·1절 기념식을 개최했다. 민전은 보신각에서 한 구역밖에 떨어지지 않은, 3·1운동의 발상지라고 할 수 있는 탑골공원에서 민주의원 행사보다 30분 빠른 오전 9시에 기념식을 가졌다.

　　민전의 이날 행사는 민전 사무국장인 이강국의 개회사에 이어, 33인에 대한 공판 당시 이들을 변호했던 변호사 허헌이 식사를 했다. 식사에서 허헌은, 해방은 되었지만 결사·집회 등의 자유가 박탈되려는 상황이라고 주장하고, 세계를 위협하는 독점적 금융자본의 제국주의적 침략 정책에 대해 과감한 투쟁을 전개할 것을 강조했다. 허헌에 이어 이여성의 독립선언문 낭독과 정노식의 3·1운동 약사 보고에 이어, 이주하의 3·1운동 27주년 기념문 낭독 등으로 행사는 진행되었다.

　　두 개의 기념행사에 내포된 의미를 분석할 때 민전이 '참된 해방'을 강조한 것이라고 한다면, 민주의원은 '통일된 자유민주국'을 강조했다고 할 수 있다. 이처럼 축사에서 김구는 '통일성'과 '통일적 지도'를 강조했지만, 김구의 간절한 희망과 달리 3·1절 기념행사는 좌우 양 진영으로 분산되어 치러졌기 때문에, 1919년 3월 1일 온 민족이 한마음이 되어 자유와 독립을 위해 죽음으로써 항쟁했던 3·1정신의 의미는 반감될 수밖에 없었다.

　　원래 3·1절 기념행사는 좌우 양 진영이 공동으로 개최하기로 했었

보신각에서 열린 제27회 독립선언기념식에서 축사하는 김구(1946.3.1.)

제27회 독립선언기념식에서 김규식이 선창한 만세 삼창

다. 이를 위해 신한민족당, 조선인민당, 한국민주당, 국민당, 조선공산당, 독립동맹, 조선민주당 7개 정당이 여러 차례 회합을 가졌으나 결국 합의를 보지 못하고 말았다. 7개 정당이 모인 자리에서 좌우가 별도로 구성한 3·1절 기념행사 준비위원회를 동시에 해체하고 33인 중에서 변절하지 않은 인사를 대회 명예위원장으로 추대하자는 제안이 나왔다. 그러나 이에 합의를 보지 못하는 바람에 공동 개최 협상이 결렬되고 만 것이다.

공동 개최 협상의 결렬에 대해 우익진영은 공산당의 무정견한 방침과 아울러 3·1절이 갖는 민족적 의의를 공산당이 이해하지 못했기 때문이라고 분석했다. 이와 달리 좌익진영은 민족적인 기념행사를 '법통'만을 주장하며 정치 모략의 도구로 이용한다고 주장하면서 분열의 책임을 우익진영에 돌렸다.

3·1절 기념행사 공동 개최가 무산되자 우익진영의 집결체인 비상국민회의는 '기미독립선언기념 전국대회준비회'를 구성하여 서울운동장에서 대회를 개최했고, 좌익진영은 '3·1기념 전국준비회'를 결성하여 남산공원에서 기념식을 가졌다. 양쪽 모두 기념행사가 끝난 후 시가행진을 계획했다. 이를 보면 우익진영은 서울운동장을 출발하여 동대문-종로-안국동-미군정청-광화문 사거리-서대문-서울역을 거쳐 남대문에서 해산하는 코스를, 좌익진영은 남산공원을 출발하여 남대문-조선은행-화신백화점 앞-종로 3가-을지로 3가를 거쳐 을지로 6가에서 해산하는 코스를 잡았다. 그러나 이날 우익진영은 예정대로 행진한 반면, 좌익진영은 분열의 인상을 주는 것을 피하기 위해서라는 이유를

들어 중간에 행렬을 중지했다.

이날의 행사에 동원된 인원의 규모를 보면 좌우 양 진영의 조직과 세력을 어느 정도는 가늠할 수 있는 근거가 되는데, 양쪽 모두 자신들이 주최한 집회에 참석한 인원이 상대방보다 훨씬 더 많다고 주장하고 있어 분석에 어려움을 주고 있다. 그러나 당시 미 국무성 자료에 따르면 서울운동장에는 20만 명이, 남산공원에는 1만 5000명이 참석한 것으로 되어 있다. 좌익진영이 신탁통치를 반대하다가 이를 지지하는 쪽으로 갑자기 입장을 선회한 것이 행사에 참가하는 인원을 동원하는 데 영향을 준 것이 아닌가 하는 느낌이 든다. 기념행사가 끝난 후 민주의원이 주최한 행사가 질서 정연하게 거행된 것에 대해 하지 사령관은 감사의 뜻을 표하는 서한을 보내기도 했다.

탑골공원을 찾은 김구

3·1정신을 이어받아 통일성을 강조했던 김구는 독립선언문이 처음으로 낭독되어 만세 운동의 봉화를 올린 탑골공원을 찾았다. 사진 설명에는 1946년 3월이라고만 되어 있어 지금으로서는 날짜를 확인할 수 있는 길은 없다. 단지 보신각에서 3·1절 기념행사가 있던 날에는 양복을 입고 있었던 반면, 십층석탑 앞에서 찍은 사진이나 팔각정 앞에서 일행과 함께 찍은 사진에는 두루마기를 입고 있는 것으로 보아 3월 1일이 아닌 것은 분명하다고 할 수 있다.

탑골공원을 찾은 김구(1946.3.)

탑골공원 팔각정 앞에서 김구와 일행(1946.3.)

건국실천원양성소

건국의 인재를 키우라

1898년 3월 인천감옥을 탈옥한 후 관헌의 체포를 피해 전국을 방랑하던 김구는 30세가 되던 1905년 12월부터 고향에서 교육 사업에 매진했다. 김구가 교육계에 투신한 것은 을사조약이 체결된 후 전국 각지에서 수많은 우국지사들이 구국의 일념으로 의병을 일으켰지만, 도처에서 실패한 것은 이들이 군사 지식은 없고 단지 하늘을 찌르는 의분심만 있었기 때문이라고 판단했기 때문이다. 빼앗긴 나라를 되찾기 위해서는 의분심만으로는 부족하다고 생각한 것이다. 교육을 통해 애국심을 함양하고 지식을 넓히는 것이 필요하다고 본 김구는 고향에 돌아온 후에는 "양반도 깨어라! 상놈도 깨어라!"라는 구호 아래 황해도 일

대를 돌며 본격적으로 교육 운동과 계몽운동에 투신했다. 이와 같이 국권 회복을 위해 불철주야 노력하는 김구를 일제는 아주 못마땅하게 생각했기 때문에, 보안법 위반 혐의로 체포하여 서대문형무소에 가두고 온갖 고문과 악형을 가했다.

앞서 김구는 인천감옥 안에서도 글을 모르는 죄수들을 모아 놓고 가르쳤기에, "김창수가 인천옥에 들어온 다음부터는 감옥이 아니라 학교"라는 기사가 황성신문에 날 정도였다. 이처럼 교육을 중요시했던 김구는 1915년 8월 가출옥으로 감옥을 나온 이후 아내가 근무하던 안신학교에서 어린이들을 가르치며 1919년 중국으로 망명할 때까지 주로 학교에서 시간을 보냈다. 교육의 중요성을 어느 누구보다도 잘 알고 있었기에 그런 것이다.

국민을 위한 대학

망명 생활을 마치고 1945년 11월 23일 귀국한 김구는 바쁜 와중에서도 교육에 큰 관심을 가졌으며, 그러한 관심이 구체적으로 나타난 것이 바로 1946년 3월 3일 임시정부 요인들이 중심이 되어 발족시킨 '국민대학설립 기성회'였다. 임정 요인들이 대학 설립에 착수하기로 합의한 것은 임시정부가 망명 중인 1941년 11월에 삼균주의에 입각하여 작성한 '대한민국건국강령'에 따른 것이었다. '정치·경제·교육의 균등'에서 '교육의 균등'이 지향하는 교육정책을 해방된 조국에서 실현하기 위해서였다.

임시정부는 교육정책의 기본 원칙으로 '공비公費교육으로 학권學權의 균등'과 '고등교육의 면비수학免費修學의 완성'을 내세웠고, 이 원칙에 입각해서 '국민을 위한 국민의 대학'을 설립하려고 한 것이다. 김구는 김규식과 함께 기성회의 고문으로 추대되었고, 임시정부 내무부장인 신익희가 기성회 회장으로 취임하여 대학 설립의 실무를 맡아 처리했다. 실무 작업이 어느 정도 진전을 보이자 기성회는 발족을 공표했다.

이에 대해 『서울신문』은 1946년 5월 18일에 "구학救學의 청년들에게 공부하는 기회를" 주기 위해 대학을 설립하기로 했는데 "우선 야간부를 설치하야 돈 없는 근로 청년으로서 낮에는 일하고 밤에는 공부할 수 있도록 하게 되었다"고 보도했다. 미군정청의 인가를 받은 기성회는 1946년 9월 1일 종로구 내수동에 있는 보인상업학교의 교사와 시설을 빌려 '국민대학관' 개교식을 거행하였다. 이로써 교육을 통해 나라를 되찾겠다는 김구의 이상은 첫발을 내디딜 수 있게 되었다. 오늘날 국민대학교로 발전할 수 있는 터전은 교육에 대한 김구의 뜨거운 열정이 있었기에 가능했다고 할 수 있다.

건국실천원양성소

국민대학 설립과는 별도로 김구는 건국 강령을 실천할 인재들을 양성하기 위한 새로운 기관이 필요하다는 것을 절실히 느꼈다. 당시 북한의 인민위원회에 대응하기 위해서는 남한에도 정부를 수립해야 한다는 단독정부론이 확산되고 있는 상황이었기 때문이다. 김구는 남북으로 나뉜 정부가 아니라 반드시 통일된 정부가 수립되어야 한다고 생각했고, 이를 위해서는 독립을 위해 독립운동에 헌신하는 투사가 필요했듯이 통일된 민족국가 건설을 위한 투사가 필요하다고 판단하여 별도의 교육기관 설립에 나선 것이다. 이에 대해서 『동아일보』 1946년 12월 8일 자는 "김구 선생이 진두에 서서 건국실천원양성소를 기성"이라는 제목으로 다음과 같이 보도를 했다.

> 독립전선에 초석이 될 자 누구누구인가. 지금 조선이 오직 바라고 원하는 것이 건국실천자라면 이를 양성하고 추진 지도하는 건국실천원양성이 필요할 것이다. 이러한 피할 수 없는 독립전취 완수의 현실에 봉착하야 남조선에서는 과거 40년간 해외에서 조선 독립을 위하야 혈전고투한 우리의 지도자 김구 선생을 준비위원장으로 추대하고 진승록, 안호상, 황기성, 손승린, 김석길 5씨를 위원으로 한 건국실천원양성소 기성회를 조직하고 동 소所 설립 준비에 착수하였는데, 이번 획기적 사업에 있어서 특히 김구 선생은 노구를 무릅쓰고 독립전선에 초석이 될 전위간부의 양성을 맹세하고 동 준비위원회의 위원장에 취임된 것이다.

이와 같이 김구는 건국을 위해 정치 현장에 직접 뛰어들 수 있는, 건국 전선에 초석이 될 수 있는 실천적인 인재를 시급히 양성해야 한다는 판단에 따라 1946년 12월 7일 '건국실천원양성소' 기성회를 발족시켰다. 준비위원장 김구와 5인의 준비위원으로 구성된 기성회는 3개월간 양성소 설립을 위해 많은 노력을 기울였다. 이들의 노력으로 양성소 설립이 임박해지자 다시 『동아일보』 1947년 2월 26일 자로 "독립투쟁의 인재를 양성, 김구 선생의 뜻 받어 래월 15일 개소"라는 제목으로 다음과 같이 보도했다.

> 민족의 독립운동은 이제부터 재출발시켜야 하겠고 독립운동은 완전독립이 전취될 때까지 계속되어야 할 것이므로 김구 선생은 독립투쟁의 초석이 될 유능한 인재를 단기간에 다수 양성하기 위하야 건국실천원양성소를 설립코저 준비 중이든 바 오는 3월 15일에 드디어 개소하기로 되었다. 그런데 입소 지원은 3월 5일까지이며 지원 장소는 시내 원효로 2가 73에 있는 동사무소라는데 초빙된 강사는 다음과 같다. 진승록(고대), 안호상(국대), 강락원(연대), 서두수(연대), 김순식(서상대), 김의수(고대), 손진태(국대), 민병태(연대), 변영태(고대), 이용막(고대), 조기용(서울대), 황의돈, 신태익, 신동욱, 장덕수, 이선근, 설의식, 김광섭, 김석길.

양성소의 강사진으로는 당시 시내 각 대학의 교수들이 골고루 망라되어 있는 것을 알 수 있는데, 여기서 특히 주목할 만한 것은 한민당 정치부장인 장덕수가 포함되어 있는 것을 들 수 있다. 장덕수는 김구가

교장으로 근무했던 양산학교 교사 장덕준의 동생으로 그 학교 학생으로 있었기에 장덕수를 어렸을 때부터 잘 알고 있었고, 귀국 후에도 자주 만났기에 그를 강사로 초빙한 것이라고 할 수 있다. 만일 김구가 평소 장덕수를 좋지 않게 생각하고 있었다면 그를 강사로 초빙할 리가 없다고 보기 때문에, 일부에서 장덕수 살해 사건과 김구를 연관시키는 것은 무리라는 생각이 든다.

1947년 3월 15일로 예정된 개소식은 닷새 늦은 3월 20일 오전 11시 양성소 본부가 있는 원효사에서 거행되었다. 원효로에 있던 원효사는 지금은 흔적도 없이 사라져 옛 모습을 전혀 찾을 길이 없다. 당시 찍은 기념사진만이 옛 모습을 보여 줄 뿐이다. 개소식 날 김구는 소장으로서 내빈과 입소생 다수가 참석한 가운데 훈시를 했다. 1947년 5월 4일 거행된 양성소 1기생의 수료식에는 명예소장 자격으로 이승만이 부인 프란체스카 여사와 함께 와서 기념사진을 찍기도 했다. 한편 창립 1주년 기념일인 1948년 3월 20일에는 종로 기독교청년회관에서 각계 인사 다수가 참석한 가운데 기념식을 성대하게 거행하기도 했다.

양성소 입소는 10세 이상 40세 이하로 '애국단체의 추천'을 필요로 하는 것으로 되어 있는데, '애국단체'라는 단서를 붙인 것은 아마도 좌익진영 소속 요원들의 입소를 막기 위한 것으로 분석된다. 양성소는 설립 이후 1949년 6월 김구가 서거할 때까지 총 8회에 걸쳐 800여 명의 수료생을 배출했는데, 김구 서거 후에는 홍익대학 재단이 이를 접수·운영하기로 하고 9기생까지 뽑았다. 이를 볼 때 교육에 대한 김구의 열의는 홍익대학교에까지 이어졌다고 할 수 있다.

양성소는 각 대학의 교수들을 망라하여 입소생들에게 다양한 과목을 가르쳤는데, 기수마다 다르기는 하지만 전체적으로 정치·경제·법률·역사 등의 과목이 빠지지 않고 개설되었다. 이를 보더라도 김구는 자신의 건국 구상을 실현하는 데 필요한 과목들을 중심으로 교육 과목을 편성했으며, 민족의식을 고취하기 위한 의도에서 국사나 독립운동사를 개설했다. 이와 동시에 입소생들이 체득한 건국 정신과 독립 정신을 일반 국민들에게 전하고 설득할 수 있는 능력을 기르기 위해 선전에 관한 과목도 넣었다.

한 가지 주목할 만한 것은 5기 교육 과목에서 '공산주의 비판'이라는 과목이 개설된 것을 들 수 있다. 2차 대전이 끝나고 평화가 찾아왔음에도 불구하고 한국이 진정한 통일·독립국가가 되지 못한 것은 계급투쟁을 골자로 한 공산혁명을 추구하는 세력이 있기 때문이라고 보았기에 이 과목을 넣은 것으로 분석된다. 현실적으로 우리 민족이 나아가야 할 길은 계급투쟁이 아니라, 민족 단결이라는 것을 뼈저리게 느낀 결과라고 할 수 있다.

양성소는 정부 수립 이후 직간접적으로 당국의 탄압을 받아 운영에 많은 어려움을 겪었는데, 김구가 암살당한 후에는 입소생이나 수료생들에 대한 조사가 이루어져 이들이 많은 고통을 겪기도 했다. 이들에 대한 사찰과 미행, 검문으로 양성소를 유지하기 힘들게 되어 결국은 해체를 결정할 수밖에 없게 되었다. 1949년 8월 23일 이사회의 해체 결정과 9월 25일 홍익대학에로의 흡수가 그것으로, 개소한 지 2년 5개월 만의 일이었다.

대학 설립에 힘을 쏟다

김구는 한편으로는 양성소를 설립하여 건국 운동의 실천에 필요한 인재를 양성하면서도, 다른 한편으로는 대학 설립에 지원을 아끼지 않았다. 국민대학설립 기성회의 고문으로 취임하여 국민대학 설립에 기여한 것 이외에도 유형·무형의 지원을 통해 단국대학과 성균관대학의 설립을 도운 것이 바로 그것이다.

　단국대학의 경우 설립 과정부터 교명 작명에 이르기까지 김구의 영향이 매우 컸다. 국민대학설립 기성회에 이사로 참여하여 신익희와 함께 설립 업무를 맡았고, 양성소의 이사장으로 취임하여 재정을 책임지던 장형이 김구의 노선을 좇아 설립한 대학이 단국대학이기 때문이다. 국민대학 설립 후 이사장으로 취임하여 대학 살림을 운영했던 장형은 학장을 맡은 신익희가 임시정부의 노선을 떠나 이승만 박사의 노선을 따르자, 국민대학과 결별하고 별도의 대학 설립에 나섰다. 신익희가 임시정부를 떠났기에 국민대학이 임시정부의 대학이라는 의미를 가질 수 없다고 생각했기 때문이다.

장형을 격려하고자 단국대학을 방문한 김구(1948.1.18.)

국민대학과 결별한 장형은 무엇보다 임시정부와 김구의 독립운동 정신을 계승한 대학을 설립하고자 했고, 이 과정에서 김구를 비롯한 여러 사람들의 의견을 취합하여 교명을 '단국대학'으로 정했다. 임시정부와 김구가 추진하고 있던 통일국가 수립을 지향하면서도 민족의 동질성을 강조하려는 의도에서 '단국'으로 정한 것이다. 설립준비위원회는 종로구 낙원동에 있는 유석창 소유의 조선정치학관 2층에 사무실을 마련하고 개교 준비를 하여 1947년 11월 1일 미군정청으로부터 설립 인가를 받았다. 그리하여 960명의 학생을 선발하고 1947년 12월 3일 휘문중학교 강당에서 입학식을 거행했다.

경교장에서 단국대학 학생들과 김구(1948.6.25.)

단국대학이 개교되자 김구는 1948년 1월 18일 장형을 만나 격려했고, 그해 6월 25일에 거행된 단국대학 전문부 1회 졸업식에 참석하여 축사를 하기도 했다. 1949년 1월 19일에 김구는 환갑을 맞은 장형을 축하하기 위해 내수동 장형의 집을 방문했는데, 마침 이 자리에 있던 학생들이 기억에 남을 말씀을 해 달라고 부탁하자, "우리 국민 전체를 대표하여 공부한다고 생각하고 열심히 노력하라"고 격려했다. 그리고 장형을 가리키며 "아우의 애국 애족하는 기풍이 단국대 학생들에게 넘칠 것을 바라마지 않는다"고 말했다. 이처럼 김구와 '형님' '동생' 하는 관계였기에 장형이 설립한 단국대학은 김구의 독립 정신을 계승하는 차원에서 이루어진 것이라고 할 수 있다.

성균관대학교의 경우도 김구와의 인연이 적지 않은 대학 가운데 하나이다. 해방 후 유도회총본부의 위원장에 추대된 김창숙(金昌淑, 1879~1962)은 일제 잔재를 청산하고 유교 부흥을 위한 각종 사업을 추진하는 과정에서 대학을 설립하기로 했다. 유교인이 건국의 대업에 헌신하고자 하면 마땅히 유교 문화의 확장부터 시작해야 하고 유교 문화를 확장하려면 성균관대학 창립이 급선무라고 판단했기 때문이다. 김구는 임시정부의정원 의원과 부의장을 역임했던 김창숙이 재단법인을 설치하고 대학 설립을 추진하자 이를 적극 지원했다. 김창숙 역시 김구를 높이 평가하여 자주 만나 시국에 관해 허심탄회하게 논의하는 사이였기에 김구의 지원을 필요로 한 것이다.

1946년 6월 김구와 김창숙은 함께 미군정청의 문교부장과 차장 등 교육 분야 책임자들을 만나 유교 진흥책을 논의했는데, 이 자리에서 성균관이 재단법인을 만들어 전국의 향교 재산을 활용하여 교육·문화 각 방면의 사업을 확장해 나가는 것이 좋겠다는 결론을 내렸다. 이러한 결론이 나자 김구는 이의 조속한 실행을 미군정청 교육 관련자들에게 당부했고, 김창숙에게 "오늘은 유교 부흥의 좋은 기회이니 그대는 유교인의 나약한 기운을 진작시켜 용진"하기 바란다고 격려의 말을 아끼지 않았다.

김구는 김창숙과는 임시정부 시절부터 가까운 사이였기에 그가 추진하는 성균관대학 설립을 지원했고, 1949년 3월 8일에 있었던 유도회 회원 1회 입학식은 물론 이들의 졸업식이 거행된 6월 4일에도 참가하여 김창숙, 정인보 등과 함께 대성전 앞에서 기념사진을 찍기도 했다. 그리고 1949년 6월 22일에는 성균관대학 전문부 2회 졸업식에 참석하여 이들을 축하해 주고 기념사진을 함께 찍었는데, 이에 대한 답례로 졸업생 대표들이 경교장을 방문하기도 했다.

김구는 우리 자신을 행복하게 하고 나아가 남에게 행복을 주는 것이 바로 문화라고 보았기에, 「나의 소원」에서 "오직 한없이 가지고 싶은 것은 높은 문화의 힘"이라고 말한 바 있다. 그리고 인류가 불행한 근본 이유는 인의仁義가 부족하고 자비가 부족하고 사랑이 부족하기 때문인데, 이러한 정신을 배양하는 것이 다름 아닌 문화라고 굳게 믿었고 문화를 통해 우리나라가 세계 평화를 실현하게 되기를 바랐다. 이와 같은 희망이 있었기에 김구는 다음과 같이 말했던 것이다.

나는 우리의 힘으로 특히 교육의 힘으로 반드시 이 일이 이루어질 것

경교장을 찾아온 성균관대학 학생들과 김구(1949.6.22.)

성균관대학 전문부 제2회 졸업 기념 (1949.6.22.)

을 믿는다. 우리나라의 젊은 남녀가 다 이 마음을 가진다면 아니 이루어지고 어찌하랴. 나도 일찍이 황해도에서 교육에 종사하였거니와 내가 바라던 것이 이것이었다.

이처럼 문화의 힘으로 세계 평화를 이루고자 했고 이를 위한 방안으로 교육의 중요성을 간파했던 김구의 이상은 오늘날 김구의 숨결이 배어 있는 국민대학교와 홍익대학교, 단국대학교, 그리고 성균관대학교에서 꽃을 피우고 있는 것이다.

———————

조선정치학관이 있던 서북학회회관 ⓒ문화재청
원래는 낙원동에 있었으나 현 위치로 이전·복원하여 건국대학교 박물관으로 사용하고 있다.

남산 석호정

이촌동교회

염리동 창암학원

백범학원과 김구주택

도진순

창원대학교 사학과 교수

창암학원   석호정
                          ● 백범학원·김구주택

● 이촌동교회

백범학원과 김구주택

해방 이후 중국, 일본, 북조선 등 각지에서 돌아온 식민 및 전쟁 유민 들을 당시 '전재민戰災民'이라 하였는데, 이들의 비참한 생활상은 사회적으로 큰 문제였다. 특히 그중에 핵심이 주거 문제와 교육 문제였다. 이에 대한 김구의 관심은 귀국 이후 지속적으로 계속되었다. 귀국 1년이 채 되지 않은 1946년 9월 14일 김구는 부산을 시작으로 경상남도와 전라남도 등 남도를 순방하는데, 첫 방문지인 부산에 도착하자마자 전재민수용소를 방문하여 귀환 동포 등 수용자들의 참상을 돌아보고 현금 1만 원을 희사했다.

1946년 9월 남도 순방에서 김구의 기부는 이어졌다. 부산을 시작으로 진주에서 9000원, 군산에서 1만 2000원 등을 희사하였다. 더욱이 광주에서는 "도처에서 동포들이 주는 각종 기념 선물, 해산물, 육산물, 금품 등을" 전재민을 돕는 데 보태어 쓰라고 광주시장에게 부탁하였고, 당시 서민호 광주시장은 김구가 받은 정치 후원 물품을 현금으로 바꾸고 지역 유지들의 웃돈까지 더하여 광주 학동에 전재민 마을을 만들었으니, 이것이 광주의 백화마을이다. 서울에서도 전재민을 위해 애쓴 김구의 흔적을 찾아볼 수 있는 곳이 있으니 바로 금호동 백범학원과 김구주택이다.

백정범부를 위해

김구의 아호 '백범白凡'은 '백정범부白丁凡夫'의 줄임말로 백정같이 비천하고 제대로 교육받지 못한 서민을 의미한다. 김구 본인도 어려서부터 상놈으로 천시를 받았으며, 정규교육을 제대로 받은 바 없다. 『백범일지』에서 "약관弱冠에 투필投筆하고(젊어서 붓을 던지고)" "18세에 붓을 던진 이후 시종 유랑 생활" 운운하는 것에서 알 수 있듯이, 김구는 젊어서 제대로 배우지도 못하였으며 '붓을 던진 것'을 자신의 일생에서 제1의 전환기로 생각하였다.

제대로 배우지 못한 어린 시절의 이러한 경험이 뼈에 사무쳤는지, 1945년 11월 23일 김구가 환국하며 27년 만에 조국과 첫 대면하는 소회는 남다른 바가 있다.

고국을 떠난 지 27년 만에 기쁨과 슬픔이 뒤엉킨 심정으로 상공에 높이 떠서 신선한 공기를 호흡하며, 상해 출발 3시간 만에 김포 비행장에 착륙하였다. 착륙 즉시 눈앞에 보이는 두 가지 감격이 있으니, 기쁨이 그 하나요, 슬픔도 그 하나이다. 내가 해외에 있을 때 우리 후손들이 왜적의 악정에 주름을 펴지 못하리라 우려하였던 바와는 딴판으로, 책보를 메고 길에 줄지어 돌아가는 학생의 활발 명랑한 기상을 보니 우리 민족 장래가 유망시되었다. 이것이 기쁨의 하나이다. 반면 차창으로 내다보이는 동포들의 사는 가옥을 보니, 빈틈없이 이어져 집이 땅같이 낮게 붙어 있었다. 동포들의 생활수준이 저만치 저열하다는 것을 짐작한 것이 유감의 하나였다. (『백범일지』409쪽)

김구가 대면한 특별한 감격의 기쁨은 "책보를 메고 길에 줄지어 돌아가는 학생의 활발 명랑한 기상"이었던 바, 이것은 제대로 된 교육을 받을 수 없었고 붓을 던져야 했던 자신의 회한이 반영된 것이리라. 반면 김구가 대면한 슬픔은 "빈틈없이 이어져 땅같이 낮게 붙어 있는" "생활수준이 저열한" "동포들의 집"이었다. 이것 또한 어린 시절 김구에게 익숙한 생활이었으니, 동감과 동정이 남달랐을 것이다.

이 상반되는 기쁨과 슬픔에서 짐작할 수 있듯이, 영웅호걸이 종횡하는 해방 정국에서 김구가 다른 지도자와 뚜렷하게 구별되는 차이점은 무엇보다 이러한 비천한 이들에 대한 특별한 관심과 배려였다. 요컨대 김구의 비범非凡은 평범平凡과의 친화에서 비롯된다고 할 수 있다. 평범에 대한 이러한 관심과 배려는 김구가 조국과 첫 대면하면서부터 시작되어 해방 정국의 분주함 속에서도 지속되지만, 특히 정치적으로 어려웠던 시기, 즉 그가 권력에서 멀어지거나 권력에 대한 집착을 내려놓을수록 더욱 드러났다. 1948년 4월 남북연석회의에 다녀오고 대한민국 정부 수립에 반대하면서 김구는 정치적 외곽 지대로 밀려나게 되는데, 정치와 거리를 두는 이즈음 평범과의 친화는 더욱 강화되었다. 그러니까 김구의 인생에서 평범과의 친화는 어린 시절의 뼈저린 경험과 결합되는 최초의 풍경이자, 그의 생애 마지막을 장식한 최후의 풍경이기도 했다.

전재민 구호와 백범학원

김구는 전재민 구호에 어느 정치가보다 관심이 많았으며, 그것은 정치적 위기 때마다 오히려 강화되었다. 1946년 10월 인민항쟁의 여파로 민생 여건이 열악하고, 입법의원 선거 문제로 정국이 혼란하였다. 김구와 한국독립당은 입법의원 선거를 거부하여 정치적 위기에 처해 있었다. 겨울을 앞둔 11월 1일, 김구는 "빈한한 동포를 구제하는 것이 진정한 애국자이며 독립운동자"라는 담화를 발표했다.

눈앞에 굶어 죽거나 얼어 죽을 형편에 빠져 있는 절대다수의 동포가 죽은 뒤에 독립운동은 누구를 위하여 하며 입법은 누구를 위하여 하겠는가 생각하면 모순이 너무도 크다. 그러므로 빈한한 동포를 구제하는 것이 결코 작은 문제가 아니다. 진정한 애국자가 되며, 독립운동자가 되는 시금석이다. (도진순 주해 『백범어록』 110쪽)

김구가 1948년 4월 남북연석회의를 다녀오고, 8월 15일 대한민국 정부가 수립된 이후, 김구에게는 정치적으로 무척 어려운 시기였으며, 김구가 있는 경교장은 찾아오는 사람이 격감하여 적막하였다. 그해 연말인 12월 31일, 김구는 서울 시내 각처를 순례하며 집 없이 굶주림에 떨고 있는 빈궁한 동포들에게 총 90만 원의 거금을 희사하였다.

1948년 8월 15일 정부 수립 이후 김구는 가정의 현안 문제들을 연달아 처리하였다. 8월 20일 어머니 곽낙원 여사, 부인 최준례, 맏아들 김인 3인의 유해 봉환식, 1948년 10월 7일 이 3인의 묘비 제막식이 있었으며, 12월 18일에는 남대문교회에서 차남 김신의 결혼식이 있었다. 신문 보도에 의하면, 1948년 연말에 희사한 90만 원의 돈은 곽낙원, 최준례, 김인 3인의 유해 봉환식에 들어온 부의금과, 둘째 아들 김신 결혼식 축의금의 일부라고 한다. 1949년 초 기부 사실을 뒤늦게 알고 찾아간 기자들에게 김구는 아래와 같이 소감을 밝혔다.

나는 동지들에 대한 약속을 실행하였다. 그러나 이 돈은 내 것이 아니었다. 다만 내가 중간에 서서 나를 사랑해 주는 여러 친구의 심부름을 한 것뿐이다. 그러므로 그 공덕은 전부 그분들의 것이다. 본래 적은 돈을 나누려는 까닭에 그 분배 방침에 있어서 고난이 너무 많았다. 결국 공부를 하지 못하고 있는 전재민 아동의 교육 보조비로 증여하는 것이 적당하다고 작정하고, 주로 관청 문서에 드러난 전재민 집단을 기준으로 분배하였다. 이 일을 진행하는 데 권연호 목사를 비롯하여 몇몇 동지에게 크게 감사하는 바이다. (『서울신문』 1949.1.4., 『조선일보』 1949.1.29. 도진순 주해 『백범어록』 332쪽)

김구 하라버지

김구가 1948년 연말에 기부한 90만 원은 염리동, 이촌동, 금호동, 숭인동, 청계천, 장충단 등에 나누어 전달되었는데, 그중에서 염리동과 금호동에 전달된 돈은 주민들의 숙원 사업이던 가난한 아이들을 위한 학원을 건설하는 기금이 되었다. 김구의 기부로 1949년 1월 27일 금호동에서 문을 연 것이 백범학원이다.

서울 시내 금호동에 있는 전재민 부락은 약 6백여 호에 달하고 있으나 지리적으로 떨어져 있는 관계로 자녀의 교육에 막대한 지장을 주고 있어 동리 주민들은 그동안 수차 당국에 이 뜻을 진정하는 등 그 대책을 강구 중에 있었는데, 금번 작년(1948년) 말 김구 선생이 연말 동정금으로 보내온 25만 원을 기금으로 무산 아동을 위한 학원을 건설키로 되었다는데. 학원의 명칭도 김구 선생 호를 따서 백범학원이라 명명하여, 앞으로 많은 까막눈 장님의 눈을 뜨게 할 것이라고 한다. 27일 개원식을 하였다. (『서울신문』 1949.1.29.)

白凡學園開園式典紀念
4282. 1. 27

김구의 기부금으로 세워진 백범학원의 개원식(1949.1.27.)

언론 보도(『자유신문』 1949. 7. 3.)에 의하면 김구 서거 직후인 1949년 7월 초 백범학원의 직원은 원장 이하 6명이고, 학생은 4학년 과정까지 470명이었다. 김구는 서거 직전인 1949년 6월 1일 백범학원 제1회 운동회에 아침부터 참석하였는데, 4학년 한우삼은 당시의 경험을 「운동회」라는 소중한 글로 남겼다(해독이 어려운 부분은 ▨로, 이해를 돕기 위해 필자가 삽입한 부분은 [ ]로 표기한다. 띄어쓰기와 쉼표는 필자).

김구 하라버지는, 우리들에게 경례를 허리 굽혀 받으며 천천히 우리들 앞을 지나 준비하였던 자리에 앉으셨다. 순서에 의하여 김구 하라버지께서는 우리들을 위하여 훈시의 말씀이 있은 후 연합체조를 마치고 각각 자기들의 자리로 퇴장하였다. … 경기에는 여러 가지 재미있는 순서가 많이 있었으나, 그중에도 1학년 2반 어린 동생들의 바퀴넘기와 1학년 1반의 '38선 타파'를 하였다. … '38선 타파'는 양군이 서로 상대편 동근 공을 ▨쪼각으로 떠트리는데, 시작의 호각소리와 함께 헌겁공을 주서들고 때리기 시작하였다. '38선 타파'가 매우 힘이 드는지 김구 하라버지께서도 두 손에 땀을 쥐시고 열심히 보고 계신다. 백군에서 치는 ▨공이 갈라진다. 보고 있던 관객들도 매우 시원한지 일제히 박수를 쳤다.

그 공 속에서는 오색테이프와 함께 '남북통일'이라고 쓴 글이 나오고. 평화를 상징하는 비둘기가 오색테이프를 달어매고 푸른 하늘을 힘차게 날아간다. 김구 하라버지도 그제야 비로서 기쁜 웃음을 보이며 손벽을 치고 계섯다.

우리 4학년은 사람찾기인데, 나는 이성오 선생님을 모시고 뛰어 일등을 하고, 우리 반 정순미는 김구 하라버지를 모시고 뛰게 되었는데, [김구 하라버지가] 못 뛰시겠다고 하심으로 너무나 섭섭해서 그 자리에서 울었다. … 이리하여 우리 학교 생긴 후 김구 하라버지를 모시고 처음으로 열리는 운동회는 뜻깊게 막 내렸다.

폐회식에서 청백 성적 발표가 있은 후 원장선생님께서 [김구 하라버지가] 우리 운동회를 보시고 매우 만족하셨다는 말씀과 우리학교에 오르간을 사 주신다는 말씀을 듣고 너무나 기쁨이 넘쳐 나도 오르게 '와' 하고 소리를 질렀다. 김구 선생님이 일일히 주신 상을 들고 집으로 돌아오는 내 마음은 너무나 기뻤다기보다 어린 가슴이나마 튼튼한 몸으로 열심히 공부하여 김구하라버지의 은혜를 가프리라고 굳은 각오를 갖었다. (『자유신문』 1949. 7. 9.)

김구가 6월 1일 운동회에서 약속한 오르간에 대해 선우진은 "더운 날 내가 지게 짐꾼을 데리고 신당동 쪽에서 땀을 흘리며 가져다준 기억이 있다"고 회고하였다.

그러나 아름다운 운동회와 오르간 이야기의 여운이 끝나기도 전인 6월 29일, 김구는 안두희에게 암살되었다. 김구의 급작스러운 서거에 대해 백범학원은 아래와 같은 추모 담화를 발표하였다.

쓰러졌던 이 나라를 바로잡으시고 갈 바를 모르는 이 민족의 행복을 위하여 70여 생을 지내시다 내 동포의 흉탄에 최후를 마치신 백범 선

하라버지 이렇듯 변을 당하시와 하라버지 그렇나저의 어린것들은 하라버지 양의 뜨옵신 그 훈령이나마

굽잡이 가옵시매 가슴속 깊이 깊이 맹세하옵니다 하늘에 기리 안식하소서

원통하기 더욱 끝이없나이다 그성스러우신 뜻을 이어받들고저 어리오나저의 때떡여 백범이 또 있사오니

단기四二八二년(대한민국 三十一년) 六월二十六일 백범학원 생 일동

생을 추모하여 통분함을 금치 못하여 울어 봐도 시원치 않습니다. 조선의 독립과 민족의 자유를 위하여 왜족의 손에 투옥생활도 몇 성상星霜이었던가. 대한임정 수립과 동시에 3의사를 비롯하여 수많은 애국청년을 손수 내셨고, 주석으로서 이 민족의 자유와 조국의 독립을 위하여 가진 바 힘을 다하셨다. 귀국 후 반탁투쟁을 위시하여 수많은 애국혁명 업적은 천추에 빛날 것이다. (『서울신문』 1949. 6. 30.)

어른들이 작성했을 이 담화보다 더 가슴 아픈 것은 백범학원 어린이들이, 「어리오나 저의 4백여 백범이 또 있아오니」라며 김구 영전에 바친 만장이다.

하라버지 이렇듯 변을 당하시와 / 급잖이 가옵시매 / 원통하기 더욱 끝이 없나이다 // 하라버지 그렇나 저의 어린 것들은 / 가슴속 깊이깊이 맹세하옵니다 / 그 성스러우신 뜻을 이여받들고저 // 하라버지 임의 뜨옵신 그 혼령이나마 / 하늘에 기리 안식하소셔 / 어리오나 저의 4백여 백범이 또 있아오니
단기 4282년(대한민국 31년) 6월 26일 백범학원생 일동

김구주택과 금호교회

금호동에는 백범학원과 가까운 곳에 김구주택이 있었다. 앞서

백범학원 개원과 관련된 언론 보도에서 당시 "금호동에 있는 전재민 부락은 약 600여 호"라 하였다. 1960년대 말까지 금호사거리에서 금남시장에 이르는 지역에는 전재민 구호주택이 많이 남아 있었고, 지금도 몇 군데에서 그 흔적을 확인할 수 있다.

신문 보도 등에 의하면 금호동의 전재민 주택은 해방 후 1946년에 미군정청 후생복지부에서 계획하여 서울시에 보조금을 주어 지은 것이며, 1948년에 완공하여 전재민에게 입주 신청을 받은 것으로 기록되어 있다. 이 전재민 주택이 김구와 직접 관련되는 어떠한 기록도 발견되지 않는데도, 금호동 주민들 사이에는 이 전재민 주택이 김구주택이라 불린다. 아마도 1946년 10월 항쟁 이후 김구가 전재민 원호 문제를 강조하고 하지 사령관과 군정 요인들과도 만나 정치와 정책을 논의하는 사이였고, 금호동에 백범학원도 창립되었기 때문에 인근의 전재민 주택도 김구의 도움으로 지어진 것으로 전해진 듯하다.

성동구는 백범학원이 있었던 현재의 위치(금호동 4가 548-2)를 조사하고, 김구주택이라 불리던 전재민 주택의 중심지라 할 수 있는 금호삼거리(금호동 4가 1101번지 우리은행 앞)에, 2013년 8월 29일 '백범학원과 김구주택 기념비'를 세웠다. 기념비는 김구와 아이들이 함께하는 모습으로, 우측 상단에는 「나의 소원」에 나오는 다음 구절이 세로로 쓰여 있다.

앞으로 세계 인류가 모두 우리 민족의 문화를 사모하도록 하지 아니하려는가. 나는 우리의 힘으로, 특히 교육의 힘으로 반드시 이 일이 이

루어질 것을 믿는다. 우리나라의 젊은 남녀가 다 이 마음을 가질진대 아니 이루어지고 어찌하랴!

1949년 당시 금호동 전재민 주택의 난민들 중에서 기독교 신자들이 있었는데, 교회를 세우고 싶었으나 엄두를 못 내었다고 한다. 당시 영락교회(당시 베다니교회) 이응화 목사가 금호동을 왕래했는데, 1949년 2월 13일 백범학원의 교실을 빌려 신도 13명이 예배를 드렸다고 한다. 이것이 금호교회의 창립 예배가 되었다.

이처럼 백범학원은 금호교회를 탄생시키는 산실이 되었다. 백범학원은 현재 흔적도 없어졌지만, 거기서 탄생한 금호교회는 이후 금호동 3가 165번지로 옮겨 몇 번의 신축을 거쳐 현재에 이르고 있다.

염리동 창암학원

1948년 연말 김구의 기부금 90만 원 중에서 마포구 염리동에 배당된 것은 35만 원이었다고 한다. 이것을 토대로 금호동의 백범학원과 짝이 되는 염리동의 창암학원이 탄생하였다. '창암昌巖'은 1876년 태어난 김구의 어릴 적 이름으로, 1893년 그가 동학에 입문하면서 '김창수金昌洙'로 개명할 때까지 사용하였다. 그러니까 창암으로 불리던 시기는 어린 김구가 배움을 갈망하며 열심히 공부하던 때였다.

창암학원이 문을 열자 당시의 언론은 이 지역 이재민의 자녀 350명이 "환희에 날뛰며 정진하고 있다"고 하였지만, 지금은 그 흔적을 어디서도 볼 수 없다. 백범학원은 성동구에서 기념비라

도 세웠지만, 창암학원이 있었던 곳은 현재 서울여자중학교가
자리하고 있는데 그 흔한 안내판 하나 없는 것이 유감스럽다.
그러나 1949년 3월 14일 개원식 기념사진이 한 장 남아 있어,
그 소중한 면모를 짐작할 수 있다. 교사는 목조건물인데, 지붕
은 천막이다. 당시에는 이런 건물을 바라크(barracks, 막사)라고
불렀다. 창암학원의 교사가 이러니, 염리동 전재민과 이재민
마을의 집들은 더 열악했을 것이다.

창암학원 개원식 기념사진 (1949.3.14.)
벽은 목조이고 지붕은 천막으로 지어졌다. 앞줄 가운데 의자에 앉아 있는 김구의 모습이 보인다.

염리동 전재민 마을

당시 한 언론은 염리동의 모습을 아래와 같이 자세하게 전하고 있다.

시내 마포구 염리동이라면 도심에서 훨씬 떨어진 곳으로써 ▨▨한 진흙땅 위에 층층으로 천막이 처 있어 이것이 100여 동棟 합하여 인구 3000명이란 당당한 부락을 이루고 있다. 잠깐 천막 속을 들여다보니 단방 부엌을 써 구성된 4세대가 들어 있으며, 이미 설치 후 3년이 지난 천막은 벌써 헐어서 비가 샐 정도이며 봄빛 아래서도 화끈하게 더웠다. 조그마한 창문 하나밖에 없이 퍽이나 옹색하고 갑갑하게 보인다. 대개 이 한 방에 6, 7명의 가족이 동거하고 있으며 직업은 누구나 일정치 못하며 대개는 성냥갑 붙이기, 담배 말기 그리고 자유노동 등이라 하며 배급도 아직 일정치 못하여 수심과 피곤에 메마른 듯 험난한 세상과 불행한 신세를 저주하는 듯한 눈초리에 영양부족에 시달린 핏기 없는 얼굴을 멀끄머니 앉아 바라다보고만 있다.

모두가 똑같은 어두운 표정들을 하고 있는 이들 가운데서 한 부인은 "고향은 평안도지요. 이 모양으로 험하게 살고 있습니다. 주인은 목수인데 그도 여기서는 일이 있어야지요. 쌀 배급이 무엇보다 걱정입니다. 병이라고요? 그야 여기에 병만 나면 그만이지요. 지난달에 둘째 놈을 홍역으로 날렸습니다. 그저 아무 희망도 없이 죽는 날만 기다리고 살았지요." 하고 힘없이 속삭이는 듯 말하고 있으니 아마도 살기가 싫어서 죽기를 원하니 아마 이것은 죽고 싶어서가 아니라 살아 나갈 고생이 혹심함을 말함이라, 딱한 일이다. (『조선중앙일보』 1949. 4. 29.)

3000명 정도가 밀집해서 천막촌을 형성해서 살고 있는 염리동 전재민 마을의 모습은 빈민 구호로 유명한 이연호(李淵瑚, 1919~1999) 목사가 남긴 그림과 유사할 것이다. 그는 북아현동과 한강가 이촌동에서 천막 생활을 하면서 목회 활동을 하였다.

이러한 열악한 생활에서 가장 문제가 되는 것은 병, 특히 전염병이었다. 전재민이 해외에서 들어오면서 각종 질병을 가지고 들어오기도 하였고, 또 의료 시설이 미비한 천막촌 생활로 전염병이 급속하게 확산되기도 하였다. 1946년 5월의 경우, 콜레라가 해외로부터 들어온 전재민 틈에 끼어 상륙한 이래 불과 한 달이 못 되어 각지에 만연하기도 하였다. 창암학원이 있는 염리동 전재민 마을도 의료 시설이 절대적으

이연호 목사가 그린 천막촌 풍경

로 미비하였다.

마음의 풍금 소리

　　염리동 전재민 마을의 환경은 이처럼 열악하기 그지없었지만, 그 속에 있는 목조 3칸의 창암학원은 이재민의 자녀들이 희망을 키우는 곳이 되었다.

　　여기는 특히 김구 씨의 기증으로 창암학원이란 초라한 학교 하나가 목조 3칸으로 창고 모양 한 모퉁이에 자리를 잡고 있어, 이곳 어린이들 250명이 박朴 김金 양 선생의 지도 밑에 국민학교 4학년 정도의 수업을 받고 있었다.
　　그 곤궁이 오죽하리오마는 이곳에서 배움에 힘쓰는 이들이 고맙고 탄복스러웠다. 책상도 의자도 없는 마루 위에 앉아서 책과 연필만 들고서 칠판에 그려진 '무궁화동산'을 배워 읽고 있었다. 잠시 후에 박형주朴亨柱 씨는 수업의 틈을 타서 이렇게 말하는 것이었다.
　　"그저 이 모양입니다. 일반으로 아이들 질이 나쁘지요. 출석률은 좋습니다. 불행한 아이들을 위해서 그저 힘껏 노력하겠습니다."
　　배워라! 울음을 박차고 웃음으로 돌리며 열심히 배우라!

　　창암학원의 학생 수는 일정하지 않지만, 대체로 250~350명 정도로 추정된다. 이 학교에 대한 가장 귀중한 기록은 김구 서거 후 4학년 최병국이 남긴 「우리 학교」이다.

> 마포구 염리동 산 8번지에 천막집이 많이 있는 곳에 잇습니다.
>
> 학교에서 앞 내어다보면 참으로 경치가 좋습니다. 강물이 퍼렇게 기분 좋게 흘러 마포에는 돗단배들이 마치 보대[甫大, 큰 자루]와 같이 돗만 보입니다.
>
> 우리 학교는 김구 주석 선생께서 세우시고 작년 3월 14일에 개교했습니다. 교실은 두 교실이며, 선생은 세 분이신데, 교장선생이 계시고, 박 선생은 2, 3, 4학년을 오전 오후로 나누어서 공부를 가리치십니다. 또 강 선생님은 수많은 1학년을 가리치십니다. 우리 학교는 운동장이 좁아서 마음껏 힘껏 놀 수가 없습니다.
>
> 워낙 땅이 좁아서 운동장이 좁습니다. 우리들은 열심히 공부하여 김구 주석 선생님의 은혜를 생각해서라도 더 부지런히 공부하여 우리 학교를 빛나게 하겠습니다. (『자유신문』 1949. 7. 9.)

이 글에는 창암학교에 교장 선생님과 박, 강 두 선생님이 있다고 했는데, 박 선생님은 앞에서 언급된 박형주, 강 선생님은 김구의 최후를 목격한 강영희姜永喜 선생으로 보인다. 강영희는 창암학원과 김구의 최후에 대해 소중한 증언을 남겼다.

> 학교 책임교원으로 있는 강영희 선생의 말에 의하면 [김구] 선생께서

는 언제든지 말하시기를 '내가 죽어도 재정이 곤란한 것이 문제일 것이니 걱정된다'고 하시었다는 바, 항상 선생은 이 어린이의 교육에 큰 관심과 적극적인 태도로 나와 주시었다.

그 학교에 오르간이 없었는데 이것을 아신 [김구] 선생께서는 공주에 내려가기 전에 힘써 보겠다는 말씀이 있은 후, 선생이 서거하신 26일, 즉 일요일 오르간을 사 줄 테니 강囊 선생을 12시까지 오라고 하였으므로 약 50분 늦게 경교장 앞에 이르자 권총소리가 나는 것을 강 선생은 듣고 선생이 절명하신 순간까지 옆에 있었다 한다.

그[강 선생]는 말하기를 "우리 학교에는 이젠 오르간은 없으나 마음의 풍금 소리는 생도들 가슴에서 떠나지 않을 것입니다. 앞으로 그 애들은 선생의 유지를 받들고 오르간의 행진곡에 맞추어 어떠한 장해라도 타파하고 나갈 것"이라고 힘차게 말하고 있다. (『자유신문』 1949. 7. 3.)

김구는 1949년 6월 25일 공주에서 건국실천원양성소 10기 개교식이 예정되어 있어 공주에 내려갈 예정이었다. 이 행사는 전날 밤 당국의 개입으로 갑자기 취소되었다. 위의 보도에 의하면 김구는 25일로 예정된 공주행 이전에 창암학원에 오르간을 사 주겠다고 약속하고, 강 선생에게 공주를 다녀온 이후가 되는 6월 26일 12시까지 경교장으로 오라고 했다는 것이다. 강 선생이 50분 정도 늦어져 12시 50분경 경교장에 도착했을 때 안두희가 김구를 쏘는 총소리를 들었으며, 김구가 절명하는 순간까지 김구 옆에 있었다는 것이다. 그렇다면 강 선생은 절명 당시 김구를 목격한 사람이 된다.

김구의 비서인 선우진의 회고는 이와 다르다. 그에 의하면 12시 40분경 안두희가 김구를 쏘았으며, 이후 이국태와 선우진이 김구에게로 뛰어올라간 것으로 되어 있다. 창암학원의 여선생은 김구 서거 현장에는 없었다는 것이다. 선우진에 의하면 '창암학원의 책임을 맡은 여선생'은 11시경 경교장에 와서 김구를 뵙고 돌아가고, 그다음 강홍모 대위가 김구를 면회하고, 그다음에 안두희가 김구를 면회하러 와서 저격한 것으로 회고하였다(선우진, 2009, 211~214쪽).

창암학원의 강 선생이 김구의 서거를 목도했는지 아닌지는 확실하지 않지만, 김구는 창암학원에 끝내 오르간을 사 주지 못한 것은 확실하다. 그러나 "우리 학교에는 이젠 오르간은 없으나 마음의 풍금소리는 생도들 가슴에서 떠나지 않을 것"이며, "애들은 백범 선생의 유지를 받들고 오르간의 행진곡에 맞추어 어떠한 장해라도 타파하고 나갈 것"이라는 강영희의 증언은 지금도 눈시울을 적시게 한다.

이 애틋한 사연을 누가 알았을까? 아니면 김구를 잃은 창암학원이 걱정이 되었는지, 창암학원에 희사금이 들어왔다. 7월 2일 정체 모를 청년이 이름을 밝히지 않고 "고 백범 선생의 유지를 계승할 만한 인재를 길러 주시오" 하며 5000원을 희사하였다(『조선중앙일보』 1949.7.5.).

필자는 김구의 비범非凡이 평범平凡으로 시종始終한 데서 비롯된다고 강조한 바 있다. 그 평범의 가장 밑바닥에 전재민 아이들이 있었다. 김구의 최후가 백범학원과 창암학원 등 미소微小한 전재민의 어린이들에 연결되어 있다는 것이야말로 백범 추모에서 가장 귀중한 출발선이 되어야 할 것이다.

이촌동교회

이연호 목사와의 아름다운 사연

김구의 기부 편지와

1948년 정부 수립 이후 만년晩年의 김구는 빈민 구제와 가난한 아이들의 교육을 지원하는 일은 주로 목사님들과 협의하였다. 이것은 김구가 기독교이었고, 만년에는 정치인들보다 종교인 들을 더 신뢰하였던 사정과 관련이 있는 것으로 보인다.

1948년 연말 김구는 90만 원을 기부하면서, "이 일을 진행하는 데 권연호權連鎬 목사를 비롯하여 몇몇 동지에게 크게 감사하 는 바이다"라고 밝힌 바 있다. 권연호 목사는 경북 안동 출신 으로, 1940년부터는 만주의 안동교회 목사로 일했다. 광복 후 귀국하여 각 교도소의 교화 목사로 재직하였고, 1946년부터는 서울 창신昌信교회 목사로 23년간 일했다. 그러니까 1948년 연

말 김구의 기부를 도울 당시 그는 창신교회 담임 목사로 재직
중이었다.

김구는 손양원(孫良源, 1902~1950) 목사와도 각별한 관계를
맺은 바 있다. 손양원 목사는 일제하 신사참배를 거부하여 투
옥된 바 있으며, 해방 이후 여수에서 나병 환자들의 수용소인
애양원에서 목회 활동을 하고 있었다. 그런데 1948년 10월 여
순사건 때 두 아들이 좌익에 의해 총살되었다. 여순사건이 진
압된 이후 두 아들을 죽인 자들 중 한 명인 '안재선'이라는 학
생이 체포되어 총살을 당하게 되자, 손 목사는 계엄사령관을
찾아가 그 학생을 석방시키고, 자신의 양아들로 삼았다. 김구
는 손양원 목사를 높이 평가하고 특별하게 생각하였을 뿐만 아
니라, 자신이 수립한 어린이 학교의 교장으로 손 목사를 초빙
하려 하였다.

빈민의 아버지, 화가 목사 이연호

김구의 기부와 목사와의 인연에서 서울 이촌동교회 이연호 목
사는 특별히 눈여겨볼 만하다. 1949년 새해를 앞두고 90만 원을 기부
하고 난 뒤, 설날(1월 29일)을 앞둔 1월 17일 김구는 이촌동교회의 이연
호 목사에게 절대적인 신뢰를 표시하며 편지와 함께 20만 원을 기부하
였다. 편지의 원문을 풀어 쓰면 다음과 같다.

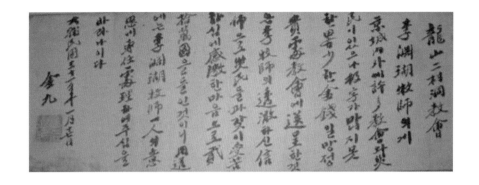

1949년 김구가 이연호 목사에게 20만 원의 돈을 기부하며 쓴 편지

龍山二村洞敎會 李淵瑚牧師의게

京城 內外에 許多 敎會와 災民이 있으나 數字가 많지 못한 略少한 金錢일망정 貴處 敎會에 送呈한 것은 李牧師의 透徹한 信仰으로 災民들과 갓이 受苦하심에 感激한 마음으로 貳十萬圓을 들인 것이니 用途에는 李淵瑚牧師 一人의 意思에 專任 處理하여 주심을 바라나이다

大韓民國 31年(1949) 1月 17日 金九[金九之印]

용산 이촌동교회 이연호 목사에게

서울에 많은 교회와 이재민이 있으나, 약소한 금액이지만 이촌동교회에 드리는 것은 이연호 목사가 투철한 신앙으로 이재민들과 같이 수고하심에 감격한 마음으로 20만 원을 드리는 것이며, 용처에 대해서는 이연호 목사 한 분의 의사에 전적으로 맡겨 처리하여 주시길 바라나이다.

1949년 1월 17일 김구

이연호 목사는 황해도 안악 출생으로, 춘천고등학교 재학 시절 반일 조직인 '상록회사건'으로 4년의 징역을 살았다. 그는 신학에 뜻을 두고 서울 아현동 빈민가에서 전도하면서 감리교신학교에서 수학을 했으나 졸업은 한국신학대학교에서 했다. 그는 톨스토이의 복음주의와, 일본의 기독교 사회주의자 가가와 도요히코賀川豊彦에 깊은 영향을 받았다.

그는 사랑과 자비, 비폭력과 평화의 정신을 추상적으로 사색하는 것이 아니라 직접 생활로 실천하기 위해 가난하고 불쌍한 빈민과 이재민이 밀집한 한강변 이촌동에 들어갔다. 당시 이촌동 일대는 넝마주이와 부랑인, 고아, 과부 등이 모여 널빤지와 천막, 종이 등으로 비바람을 가린 움막 같은 집에서 살았다. 그림에 빼어난 뛰어난 재능을 가지고 있던 화가 목사 이연호는 1950년대 이촌동의 모습을 그림으로 남겼는데, 김구가 기부하던 1949년 당시도 이와 비슷했을 것이다.

이연호 목사가 그린 「1950년대 이촌동 풍경」

그는 의사인 부인 정용득과 같이 이촌동 천막촌에 들어가 무료 빈민 의원을 세워 빈민 구호에 앞장서면서, 천막 교회를 세우고 빈민 목회를 시작했다. 그는 교회당 건축 자금을 마련하기 위해 미군들을 상대로 초상화를 그리기 시작하였고, 미국의 유명한 잡지인 『타임*TIME*』지는 이연호의 이촌동 빈민 사역을 다섯 차례나 보도하였다.

1948년 『타임』지의 이 기사를 보고 이승만 대통령은 퀸셋 막사 (Quonset hut, 간이 병사) 한 동을 기증하였고, 김구는 김규식과 함께 와서 20만 원을 기증하고 친필 편지(177쪽)를 전달하였다. 『화가목사 이연호 평전』에 의하면 이러한 후원의 배후에는 피치 박사 부부George A. Fitch, Geraldine Fitch가 있었다고 한다.

이촌동교회에 남은 편지

이연호 목사는 6·25전쟁 이전에 이촌동교회를 건축하였다. 그러나 6·25전쟁으로 이촌동교회는 잿더미가 되고, 이 목사는 부산으로 피난을 가서도 수정동 매축지에 교회와 성민聖民의원을 세워 사역하였다. 서울 수복 후 이연호 목사는 다시 서울로 돌아와 이촌동교회를 담임했다.

1953년 그는 미국으로 유학하여 철학을 전공하고 문학사 학위를 취득하였고, 수채화도 공부하였다. 귀국 후 그는 대한미술협회와 조선일보사 후원으로 동양화랑에서 제1회 미술전을 개최해 본격적으로 미술 활동을 시작했다. 1957년 목사 안수를 받은 후 다시 도미해 프린스턴 신학교에서 종교심리학으로 신학 석사 학위를 받았다. 귀국 후 1961년에는 국전에 입상하기도 하였다.

이 목사는 그가 필생의 노력으로 모아 온 성화, 고미술품, 민속품, 도자기 등 400여 점을 장로회신학대학교에 쾌척하였고, 이를 기초로 장로회신학대학교 박물관이 만들어졌다. 그리하여 김구의 편지도 원본은 장로회신학대학교 박물관에 소장되어 있다. 이연호 목사는 1999년 향년 81세로 서울에서 별세하였다.

이촌동교회는 6·25전쟁 이후 여러 번의 증축과 개축을 했는데, 현재의 건물은 1985년에 완공한 것이다. 이 이촌동교회 지하 식당에 가면 1949년 1월 17일 김구가 이촌동교회의 이연호 목사에게 20만 원을 기부한 사연을 밝힌 편지의 사본을 만날 수 있다. 김구와 이연호 목사, 이들 사이의 절대적 신뢰를 가능케 하는 것은 지극히 낮은 빈민, 이재민에 대한 공감 때문이라 할 수 있다.

남산 석호정

희귀한 사진
일장춘몽처럼 아련한

서울의 대표적인 명소라 할 수 있는, 장충동 국립극장 뒤 남산
자락길에는 석호정石虎亭이라는 국궁장이 숨은 듯이 자리하고 있
다. 활을 쏘는 곳의 이름이 돌호랑이라니 의아할 수도 있겠다.

사마천의 『사기史記』 「이장군열전李將軍列傳」에는 한漢나라 명궁
이광李廣 장군이 사냥을 갔다가 돌을 보고 호랑이인 줄 알고 전
념하여 화살을 쏘았더니 화살이 돌에 꽂혔다는 이야기가 있다.
정신을 집중해서 죽을힘을 다하면 어떤 일도 이룰 수 있다는
고사이다. 여기서 석호정의 명칭이 유래한 것으로 보인다.

안내판에 의하면 석호정은 조선 인조 때인 1630년 세워졌다고
하지만, 남산의 석호정에 대한 조선 시대 기록은 거의 없다. 그

러나 근대에 들어와 석호정은 황학정黃鶴亭과 더불어 우리나라 국궁계의 쌍두마차라 할 수 있을 정도로 대표적인 국궁장이 되었으며, 관련 사진과 기록도 적지 않게 남아 있다.

일제강점기 석호정은 장충단공원 뒤편에 있어 '장충단 석호정'이라 불렸다. 해방 이후 1948년 전국체전 궁도대회에서 석호정이 우승하는 등 석호정은 건재했다. 1950년 6·25전쟁으로 전소되었지만, 휴전 이후 석호정은 근처의 백운루 자리에 재건되었다. 그러나 현재 석호정은 1969년 서울시의 남산터널 공사로 인하여 장충단 지역에서 남산으로 이전한 것이다.

한 장의 사진

2009년 4월 서울시는 '남산르네상스' 계획을 발표하면서 석호정을 남산의 생태성을 훼손하는 시설로 분류해 옮기기로 결정했다. 2011년 1월 20일, 남산 석호정이 존폐 위기에 처한 가운데 충무아트홀에서 서울 중구청 주최, 서울대학교 스포츠과학연구소 주관으로 '남산공원 내 석호정 존치 방안'이란 공청회가 열렸다. 이 공청회에서 한 장의 사진(185쪽 사진 A)이 공개되었는데 놀랍게도 김구가 등장한다.

이것과 거의 비슷한 사진(185쪽 사진 B)이 독립기념관에 소장되어 있는데, 이 사진의 하단에는 "총재 김구 선생 부총재 조소앙 선생 취임식 기념 / 석호정 사원일동 / 단기 4282년(1949년) 4월 26일"이라 적혀 있다.

남산 석호정의 최근 모습

　서울대학교 체육학과의 나영일 교수는 김구가 등장하는 사진과 관련 자료를 섭렵하여 『우리 활터 석호정』(서울대학교출판문화원, 2012)을 출간하였다. 이 책을 주로 참고하면서 김구와 석호정에 얽힌 사연을 찾아가 보자.

석호정에 모인 사람들

　1949년 4월 15일 자『동아일보』에는 4월 23일부터 3일간 서울 시내 남산 석호정에서 대한궁도협회(이하 궁도협회) 주관으로 전국남녀궁도선수권대회(이하 궁도대회)가 열리니 참가 신청을 하라는 기사가 나온다. 위 사진은 궁도대회가 끝난 다음 날인 4월 26일 찍은 것이니, 궁도대회 또는 궁도협회와 모종의 관련이 있을 가능성이 크다.

사진에서 중심인물은 가운데 앉아 있는 김구이다. 1949년 4월 하순 김구는 한국독립당을 확대하는 일로 분주했다. 궁도대회 직전인 4월 19~22일은 전북 지방을 방문했다. 4월 19일에는 한독당 전북 군산부 당부 훈련소 개소식에, 21일에는 전라북도 옥구당부 결성 대회에, 22일에는 전북도당 간부들과 전주향교 및 전주 체육관을 방문한 사진들이 남아 있다. 궁도대회 이후인 4월 29일에는 충북 예산에서 열린 윤봉길 열사비 제막식에 참여하여 유족과 함께 찍은 사진이 남아 있다. 그러니까 김구는 1949년 4월 말 전북 지역을 다녀와서, 서울 남산 석호정에서 사진을 찍고, 다시 충남 예산으로 갔다.

이 사진의 가장 큰 특징은 당시 김구와 정파적으로 다른 길로 갔던 인물들이 함께하고 있다는 점이다. 먼저 김구 바로 옆의 인물은 조소앙(趙素昻, 1887~1958)이다. 그는 김구와 같이 1948년 4월 남북연석회의에 참여하였으나, 남한으로 돌아온 이후 남북연석회의 결과를 실패라고 규정하고 김구와 다른 행보를 보인다. 그 결과 1948년 10월 사회당을 창당하였다. 그러니까 위 사진을 찍을 당시 김구와 조소앙은 정치적 노선을 달리하고 있었다. 그런데 이 사진은 총재에 김구, 부총재에 조소앙이 취임한 것을 기념하는 것이다. 따라서 여기서 총재·부총재는 정치적 결사의 그것이 아닐 것이다.

사진에서 더 신기한 것은 제일 우측에 서 있는 사람으로 동아일보와

석호정 사진(A)

석호정 사진(B)

고려대학교를 건립한 인촌 김성수(金性洙, 1891~1955)이다. 김성수는 1947년부터 한국민주당의 당수를 지냈고, 1948년 5·10총선에 참여하는 등 김구와는 정치 노선을 확연히 달리하였다. 1949년 2월 10일 김성수의 한국민주당은 신익희의 대한국민당과 통합하여 민주국민당民主國民黨이 되었고, 인촌은 최고위원이었다. 즉 이 사진을 촬영할 당시 인촌은 민국당 최고위원으로 김구와는 정치 노선을 달리하고 있었다. 그럼에도 불구하고 김구, 조소앙과 함께 사진을 찍었던 것이다.

요컨대 정치적 맥락에서 이 사진은 해석되지 않는다. 이 사진은 국궁과 관련되는 모종의 단체 결성을 기념하는 것이라 할 수 있다. 그 단서는 여러 가지이다. 먼저 김구와 조소앙을 제외하고는 사진에서 가장 비중 있는 인물은 당연히 김구 왼쪽에 앉은 사람일 것이다. 나영일 교수의 연구에 의하면 그는 석호정의 전임 사두였던 박정순일 가능성이 높다고 한다.

다음으로 맨 앞에 앉아 있는 4명의 여인은 기생들이다. 당시 국궁장에는 궁수가 표적에 관중貫中하였을 때 기생은 '지화자'란 후렴구를 붙여서 분위기를 띄워 주고 음식 수발을 하던 것이 관례였다. 이 사진에는 좌측에 서 있는 여인도 있는데, 이 사람은 여궁사이다. 이상 사진의 등장인물을 살펴보면 국궁 관련 모임을 기념하는 것이라 할 수 있다.

이 모임의 정체를 확실하게 보여 줄 수 있는 것은 사진 A의 좌우에 있는 깃발인데, 사진 B에서는 오른쪽 깃발이 보이지 않는다. 사진 A도 유감스럽게 깃발이 모두 접혀 있어서 깃발의 글씨를 볼 수 없지만, 김성수 옆에 있는 깃발은 궁도대회와 궁도협회를 후원한 동아일보의 깃발, 왼쪽은 궁도대회를 주관한 대한궁도협회의 깃발이 아닐까 추측된다.

1949년 4월 25일 대한궁도협회가 주관하는 전국남녀궁도선수권대회가 끝났다. 그다음 날인 4월 26일 대회 참가 주요 선수들, 궁도협회와 석호정의 임원들, 후원한 동아일보 사주 등이 모인 가운데, 김구와 조소앙을 국궁 관련 어떤 조직의 총재와 부총재로 추대하는 기념 촬영을 한 것으로 보인다. 해방 이후 정치적 격변과 분쟁의 와중에서도 아직은 정파를 달리하는 주요 인사들이 같이 자리할 수 있었던 모양이라 이 사진은 무척 의외이기도 하다. 그러나 이 사진을 찍은 지 정확히 두 달 이후 김구가 저 세상으로 가니 이 사진은 마치 아지랑이처럼 사라지는 일장춘몽처럼 아련하기만 하다.

사라진 주련과 남은 편액

사진에는 석호정 기둥에 붙어 있는 주련柱聯이 보인다. 당시 석호정은 정면이 기둥 4개로 주련도 4개이지만, 맨 좌측의 주련은 잘 보이지 않아서 판독하기 힘들다. 그다음부터 소개하면 아래 3건이다.

以利威天下(이리위천하)
觀德正心中(관덕정심중)
爭也其君子(쟁야기군자)

주련은 모두 국궁과 밀접한 관련이 있는 고전적인 구절들이다. '이리위천하以利威天下'는 『주역周易』「계사전繫辭傳」에 나오는 다음 구절에서 따온 것이다.

나무를 구부려 활을 만들고 나무를 깎아 화살을 만들어 그 날카로움으로 천하를 제압한다.

弦木爲弧 剡木爲矢 弧矢之制 以威天下

'관덕정심중觀德正心中'과 '쟁야기군자爭也其君子'도 활쏘기에 많이 등장하는 글귀이다. 『예기』「사의射儀」편에 활쏘기를 이렇게 규정하고 있다.

활쏘기는 진퇴와 주선이 반드시 예에 맞아야 한다. 마음이 바르고 자세가 곧아야 활과 화살을 잡을 때 바르고 안정되고, 그래야 적중할 수 있으니 활쏘기로 덕행을 살필 수 있다.

射者 進退周旋必中禮 內志正外體直 然後持弓矢審固 持弓矢審固 然後可以言中 此可以觀德行矣

그리하여 '관덕'은 곧 활쏘기를 의미하는데, 국궁장으로 '관덕정觀德亭'이란 이름이 있는 것도 같은 연유이다. 석호정의 '관덕정심중觀德正心中'이란 주련도 『예기』「사의射儀」편에서 비롯된 것이다. '쟁야기군자爭也其君子'는 『논어』「팔일八佾」에서 비롯되었다.

석호정 편액 © 도진순

공자께서 말씀하시길, 군자는 남과 경쟁하지 않으나 활쏘기에서만은 그렇지 않다. 양보하면서 인사하고 당에 오르고, 당에서 내려와서 술 마시니 그 다툼이 군자답다.

子曰 君子無所爭 必也射乎 揖讓而升 下而飮 其爭也君子

마지막의 '기쟁야군자其爭也君子'에서 주련 "다툼이 그 군자답지 아니한가爭也其君子"가 나온 것이다.

2011년 공청회 이후 남산 석호정 철거는 백지화되었다. 김구가 등장하는 저 사진도 석호정을 지켜 내는 데에 큰 역할을 하였다. 현재의 석호정은 저 사진의 주련이 있는 목조의 '장충단 석호정'이 아니라 주련은 없어지고 시멘트로 된 '남산 석호정'이다. 다만 '석호정石虎亭'이란 편액 세 글자는 1949년 당시와 같은 필체이다.

신복룡

전 건국대학교 석좌교수

상동교회

1885년 2월, 갑신정변의 뒤끝에 메리 스크랜턴과, 그의 아들 윌리엄 스크랜턴이 한국에 들어왔다. 어머니 메리는 감리교 목사의 가정에서 태어나, 청교도 집안의 남편과 결혼하여 외아들을 두었으나 40세가 되던 해에 남편과 사별했다. 그는 믿음이 깊었고 강렬한 카리스마를 갖춘 여성으로서 해외 선교에 관심이 많았다. 아들 스크랜턴은 1878년에 예일대학교를 졸업했고 뉴욕의과대학에 진학하여 1882년에 졸업한 엘리트였다.

스크랜턴은 정동에 집을 마련하여 1885년 9월 10일에 병원을 세웠다. 고종황제는 이 병원에 '시병원施病院'이라는 이름을 하사했는데, 이는 스크랜턴의 한국 이름 '시란돈施蘭敦'에서 따온 것이었다. 어머니 스크랜턴은 이웃에 집을 마련하여 이화학당을 시작하였다. 스크랜턴은 병원의 한구석에 교회를 세우고 1901년 5월 12일에 봉헌 예배를 보았다. 교회의 이름은 '상동교회'였다. 그렇게 이름을 지은 것은 이곳이 조선의 5대 명신의 하나로 꼽히는 상진尙震이 살던 곳이었기 때문이다.

습속이 다른 이국에서 스크랜턴은 많은 고통을 겪었지만 가장 힘든 것은 감리교 교단의 친일 압력이었다. 1906년 해리스 감독은 스크랜턴을 이토 히로부미伊藤博文에게 데려가 "한일합병이 조선인에게 내린 하나님의 축복"이라고 설득했다. 절망한 스크랜턴은 1907년 성공회로 교적을 옮겨 운산광산 부속병원의 의사로 봉사했으나 거기에서도 실패했다. 스크랜턴은 지친 몸으로 1916년에 만주로 건너가 병원을 개업하였으나 뜻을 이루지 못하고 다시 1919년에 일본 고베로 건너가 개업했다가 1922년에 그곳에서 사망하였다.

상동교회를 찾아서

스크랜턴이 상동교회에서 사임하고 떠나자 1907년 전덕기(全德基, 1875~1914)가 상동교회의 목사가 되었다. 전덕기는 서울에서 태어나 아홉 살 때 부모를 잃은 뒤 숙부의 집에서 자랐다. 생활이 어려웠던 그의 숙부는 전덕기를 스크랜턴의 집으로 보내어 입이라도 덜고자

초기의 상동교회

상동교회 최근 모습 ©김명섭

했다. 전덕기의 성실함에 감동한 스크랜턴은 그를 교회 집사로 썼다. 전덕기는 세례를 받고 전도사를 거쳐 상동교회 목사가 되었다.

서울시 중구 남창동 1번지, 상동교회는 지난날 은성殷盛했던 모습은 사라지고 임대 건물이 되었다. 대성전을 들어가니 장엄한 제대 벽면에 그려진 그림은 33개의 벽돌을 싸 놓은 듯한 추상화였는데 이는 기미독립선언 33인을 상징하는 것이었다. 중간의 벽돌 네 개는 33인 가운데 상동교회 출신인 신석구, 오하영, 이필주, 최성모 목사를 추모하는 것이며, 아래 두 개의 벽돌은 이 교회 출신인 이준 열사와 전덕기 목사를 추모하는 뜻이 담겨 있었다. 제대 위에 꽂혀 있는 태극기가 이 교회의 성격을 한눈에 보여 주고 있었다.

김구와 기독교의 만남

김구가 서구 학문을 처음 접한 것은 인천감옥에서였다. 이때 그는 서양 서적을 읽었다. 그에 앞서 그의 어머니의 이름이 곽낙원郭樂園이었다는 것이 예사롭지 않다. 어머니는 아마도 그 무렵 황해도에 뿌리를 내리고 있던 기독교 신자였을 것이다. 그러다가 김구가 기독교인이 된 것은 아버지의 탈상이 지난 1903년 9월이었다. 김구는 친구이자 미국북장로교회 전도사인 우종서禹鍾瑞의 권유로 기독교에 귀의하였다.

그 뒤 김구는 최준례崔遵禮와 결혼했는데 그는 기독교 계열의 안신여학교의 사무원이었다. 김구는 이른바 안악사건이 일어나기에 앞서 10년

김구의 가족 사진. 왼쪽부터 김구, 장남 김인, 최준례 여사

동안 교회에서 성경을 강해하고 설교를 하거나 주일학교에서 학생들을 가르쳤다. 해방 직후 정동교회 예배에서 "경찰서 10개보다 교회 1개를 신설하는 것이 더 효과적이다"라는 강론을 한 것이 주목된다.

　김구의 기독교 신앙에 가장 영향을 끼친 분은 손양원(孫良源, 1902~1950) 목사였다. 그의 호는 산돌이며, 경상남도 함안에서 장로의 아들로 태어났다. 손양원은 부산과 여수의 나병 환자 요양원인 애양원

愛養院의 부속 교회에서 봉사하였으며, 1940년에는 신사참배를 거절하다가 체포되어, 광복이 되어서야 출옥하였다. 김구는 1946년 9월, 저 멀리 여수 애양원으로 그를 직접 찾아가 자신이 설립한 학교의 교장으로 손양원 목사를 초빙했는데 손 목사는 애양원을 버리고 떠날 수 없었다.

1948년 10월 여순사건 무렵 손양원은 공산분자의 손에 두 아들을 잃었다. 아들의 살해범이 계엄군에 체포되어 처형되려는 순간 손양원은 구명 운동을 전개하여 그를 양아들로 삼았다. 그는 6·25전쟁이 일어나자 공산군에 체포되어 여수 근교에서 총살되었다.

상동청년회 시절과 을사조약 반대 투쟁

김구가 고향에서 기독교에 눈떴을 무렵 스크랜턴의 의술과 전덕기의 기독교 민족주의의 소문은 김구에게 큰 충격으로 들려왔다. 그러던 터에 을사조약이 체결되고 국권 회복에 대한 염원이 소용돌이치자 상동교회에서는 전덕기를 중심으로 전국감리교 청년회연합회를 조직하여 을사조약 무효 투쟁을 전개하였다.

여기에서 말하는 청년연합회라 함은 '엡워스연맹Epworth League'을 뜻한다. 엡워스는 본디 감리교의 창시자인 영국인 웨슬리John Wesley의 고향이자 스크랜턴의 고향이었다. 이들의 설립 취지는 "기독교 정신을 통하여 젊은이들에게 그리스도의 정신을 고무하는 것"이었다. 1910년 무렵 전 세계의 회원 수는 대략 80만 명 정도였다. 양기탁과 안창호, 그리고 전덕기, 이갑, 유동열, 이동휘, 이동녕, 이준, 이회영, 이승훈, 조성환, 김구 등 회원 40여 명이 여기에 참가했다. 이때 김구는 진남포청년회의 총무를 맡고 있었다.

1905년에 을사조약이 체결되자 전덕기는 을사조약이 무효임을 왕실에 상소하는 투쟁을 전개했다. 1차 상소 팀 5명이 선발되었는데 최재학이 주동이 되었고, 이준이 상소문을 지었다. 1905년 11월 30일, 서명한 5인이 먼저 상동교회를 떠나 대한문에 이르러 상소문을 낭독하다가 경찰과 충돌했다. 현장에 있던 김구는 이런 방식의 길이 독립으로 가는 길이 아니라고 생각했다. 민중의 애국심이 미약함을 절감한 그는 민중들에게 애국 사상을 고취하고 신교육을 실시하기로 맹세하고 고향으로 돌아갔다.

신민회와 105인사건

1907년을 전후하여 일제가 계몽 운동을 탄압함에 따라, 사회계몽 운동가들은 국권 회복 운동을 위해 비밀리에 신민회新民會를 조직했다. 안창호의 발기로 창립된 이 단체의 회원들은 대부분 와해된 독립협회의 청년 회원들이자 상동파 민족주의자들이었다. 김구도 여기에 합류하여 황해도 총감을 맡았다.

신민회의 지하 활동이 전개될 무렵, 1910년 말 이른바 안악사건이 일어났다. 이 사건을 계기로 김구는 15년 형을 받고 복역하다가 1915년에 가출옥으로 석방되었다. 이듬해인 1911년에는 이른바 데라우치寺內正毅 총독 암살 모의인 105인사건이 일어났다.

이 무렵 전덕기는 이미 폐결핵과 늑막염이 악화되어 투옥된 지 3개월 만에 병보석으로 석방되었다. 그는 끝내 몸을 회복하지 못하고 1914년 3월 28일 별세했다. 조국의 운명을 눈물로 기도하며 독립을 염원하여 '조선의 예레미야'로 불리던 그는 그렇게 떠났다. 나이도 아까운 서른아홉 살이었다. 하느님의 뜻이었겠지만 너무 안타깝고 애절하다. 그의 죽음이 순교인지 순국인지는 가늠하기 어렵다.

전덕기의 유해는 경기도 고양군 두모면 수철리에 안장되었다. 그러나 그의 시신마저도 편히 쉴 수 없었다. 1934년 일제의 강압에 못 이겨 그의 동지들은 전덕기의 시신을 화장하여 한강에 뿌렸다. 그의 비석은 지금은 상동교회 박물관에 보관되어 있다. 비문에 박혀 있던 동판은 태평양전쟁 무렵에 일제가 구리를 공출하면서 뜯어 가 그 자리가 비어 있다. 1962년, 정부는 그에게 건국훈장 독립장을 추서하고 시신도 없이 국립서울현충원에 자손 없는 선열을 모신 제단에 위패를 모셨다.

1946년 3월 23일, 환국한 김구는 지난날을 회상하며 상동교회를 찾았다. 전덕기 목사는 정확히 1914년 3월 28일 토요일에 세상을 떠났지만 1946년 3월 23일 토요일에 그의 32주기 추도식이 상동교회에서 거행되었기 때문이었다. 김구는 묘지도 없이 건물 곁에 덩그러니 서 있는 전덕기의 묘비를 껴안고 목 놓아 울었다고 역사에 기록되어 있다.

전덕기 목사의 추도식에 참석한 김구(1946.3.23.)

전덕기 목사의 묘비
위쪽 가운데 빈 곳은 일제 때 공출로
떼어 간 구리 문장의 흔적이다.

남대문교회

1882년에 조미수호통상조약이 체결되고 입국한 의사와 선교
사 가운데 알렌Horace N. Allen이 있었다. 오하이오주 출신인 그
는 상하이를 거쳐 1884년에 한국에 들어왔다. 때마침 조선에
서 갑신정변이 일어나고, 부상한 민영익閔泳翊을 치료해 준 인
연으로 알렌은 고종의 총애를 받았다. 그는 고종에게 요청하여
1885년 2월에 서양의학병원인 광혜원廣惠院을 설치하였는데,
곧 이름을 제중원濟衆院으로 바꾸었다.

제중원의 운영이 활발해지자 의료진은 선교를 본격적으로 진
행하고자 병원 안에 한 방을 빌려 부속 교회를 창립하고 1885
년 6월 21일에 첫 예배를 보았다. 처음에 이 교회는 구리개仇里개

教會로 불리던 것이 오늘의 남대문교회가 되었다. 이곳은 땅이 진흙으로 질고 누런색을 띠어 구리개로 불리다가 갑오개혁 무렵에 한자로 바꾸어 동현銅峴이라 하였다.

그즈음 미국의 사업가 세브란스Louis H. Severance가 대규모의 신식 병원을 세우기 위한 기금으로 2만 5000달러를 기부했다. 세브란스의 헌금으로 알렌과 언더우드와 에비슨 일행은 남대문 밖 도동(桃洞, 복숭아골)에 병원을 착공하여 1904년 9월 23일에 병원 이름도 세브란스병원으로 바꾸고 새롭게 시작했다. 그리고 그 병원 안에 1909년 11월 21일에 남대문교회가 설립되어 1910년 12월 4일에 봉헌되었다. 그 자리는 본디 지금의 서울역 앞의 세브란스 빌딩이 있는 곳이었다. 그러나 6·25전쟁 시기에 세브란스병원과 남대문교회도 모두 파괴되어 오늘의 자리로 옮겼다.

초기의 세브란스병원

남대문교회 평신도 김구

연어가 자기의 고향을 찾아오듯이, 청소년 시절에 여름 성경 학교를 다닌 사람은 노후에 대체로 교회를 찾는다. 그것은 마치 귀소 본능과 같다. 해방 정국에서 김구의 일상생활을 살펴보면 그는 오전 7시에 일어나 밤 10시 반에 잠자리에 드는 규칙적인 생활을 했다. 그는 먼저 잠자리에서 일어나면 붓글씨를 연습하고 기도를 올린 다음, 여러 가지 문서를 검토하고 신문을 읽은 뒤에 아침 식사를 했다. 9시에 아침 식사가 끝나면 그는 명사들을 만나 시국에 대한 권고와 조언을 듣는 것으로 오전 시간을 보냈다.

오후가 되면 손님을 만나는 일로 주로 시간을 보냈으며, 저녁 식사를 마치면 다시 공부를 하고 이로써 하루가 끝나고 기도와 함께 잠자리에 들었다. 김구의 이와 같은 기독교도로서의 삶은 그가 환국한 다음 어머니 곽낙원 여사와 부인 최준례, 그리고 맏아들 김인의 유해를 한국에 봉환하여 기독교회연합장으로 엄숙히 거행한 데에서도 잘 나타나고 있다.

오순형 목사와의 인연으로 남대문교회를 다니게 된 김구는 운명적으로 한 목자를 만나게 되는데 그가 곧 김치선金致善 목사였다. 1899년, 흥남에서 태어난 김치선은 3·1운동에 참여하여 1년의 옥고를 치른 뒤 연희전문학교와 평양신학교에서 신학을 공부했고, 미국 필라델피아에 있는 웨스트민스터신학교와 댈러스신학교에서 공부한 지식인이었다.

김치선은 김구가 귀국한 뒤부터 매일 새벽 6시에 경교장으로 찾아가

남대문교회에서 열린 둘째 아들 김신의 결혼식 (1948.12.18.)

민족과 김구를 위해 기도했다. 김구도 김치선 목사를 존경하고 따랐던
것은 그가 1948년 12월 18일에 아들 김신과 며느리 임윤연의 결혼식
을 남대문교회에서 치르고 김치선 목사를 주례로 모신 사실에서도 잘
나타나고 있다. 이날 신부가 입은 치마는 무명으로 지은 것이었다.

그 무렵 김구는 교회에서 강론도 했다. 이를테면 그는 1946년 부활 주일에 성결교회에서 '밀 한 알이 따[땅]에 떨어져 죽으면'이라는 설교를 한 적이 있다. 그 강론에서 그는 이런 말을 남겼다.

> 오늘은 마침 의미 깊게도 부활주일이니 감사합니다. … 71세인데 내가 만약 어떤 자의 총을 맞아 죽는다면 더 이상 기쁜 일이 없겠습니다. 그것은 다름이 아니라 밀 한 알이 따[땅]에 떨어져 죽으면 많은 열매를 맺는 것같이(요한복음 12 : 24-25) 내가 죽은 후 나 이상의 애국자들이 많이 나겠는 고로입니다. 나를 위하야 여러 교회들이 눈물을 흘리기도 하여 준다니 참 감사합니다. 여러분이 눈물을 흘리면 나는 피를 흘리리니 이 눈물과 피로 우리들이 갈망하는 조선을 하나님의 나라로 세워 봅시다.

김구의 강론에는 비장함이 흐른다. 무슨 불길한 예감이라도 느꼈던 것일까? 그의 강론에는 죽음의 그림자가 어른거리고 있다.

1949년 6월 26일은 일요일이었다. 김구는 남대문교회의 예배에 참석하려고 기다리고 있었다. 그때 안두희가 나타나 저격했다. 서울중앙방송에서는 아나운서가 비장한 목소리로 "가는 구름도 헤매고 나는 새도 멈추고…"라고 울먹이며 김구의 죽음을 알렸다. 방송국에서는 그의 목소리가 너무 비장하다는 이유로 아나운서를 교체했다. 곧 새로 마이크를 잡은 아나운서의 낭랑한 목소리가 울려 퍼지고 있었다.

"여러분이 그토록 고대하시던 하관식이 진행되고 있습니다…."

명동성당

오래된 인연
마지막까지 이어진

명동성당은 1898년 5월 29일, '원죄 없이 잉태하신 성모마리
아'를 주보主保로 하여 봉헌되었다. 종현鍾峴 언덕에 섰기 때문
에 종현성당으로 불렸다. 일제강점기의 종현성당은 파리외방
전교회 소속 신부들의 영향 아래 있었는데 당시의 주교는 라리
보(Adrien Joseph Larribeau, 1883~1974)였다. 한국 이름이 원형근
元亨根인 그는 1904년 파리외방전교회에 입회하여 1907년 사제
가 되자 그해 5월 서울에 왔다. 그는 1933년에 뮈텔 주교의 뒤
를 이어 1942년까지 서울교구 9대 교구장으로서 일제 강점의
어려운 시기에 천주교회를 이끌었다.

일제가 황국화 작업을 서두르며 외국인 교구장들을 모두 일본

인으로 교체하려고 하자, 서울교구장 라리보는 주교직 사임을 결심하고 후임자로 노기남(세례명 바오로, 1902~1984)을 비밀리에 로마교황청에 추천하였다. 노기남은 급박한 시대적 상황 때문에 본당 주임신부를 거치지 않고 곧바로 1942년 제10대 서울교구장에 임명되었다. 본디 노기남은 평안남도 중화 출신으로서 1917년 용산 성심신학교와 대신학교 신학부를 졸업하고, 1930년 10월 사제로 서품받아 명동성당 보좌신부로 활동하고 있었다. 주교로 승격된 노기남은 초기의 저항운동과는 달리 1939년 이후에는 친일의 허물을 남겼다.

천주교와의 인연

서러움이 깊으면 기도가 절절하다던가? 일제강점기에 국한하여 본다면 기이하게도 황해도의 기도 소리가 높다. 당시 조선에서 천주교의 신심이 가장 깊은 곳은 황해도였다. 황해도인들은 교육열이 높고 적극적이며 우국적 기상도 높아 투쟁 방법도 격렬했는데 3·1운동 당시에 현장에서 5명이 사살된 수안사건의 경우가 그러한 예증이다. 거기에 서북 차별이라는 요인이 그들의 삶에 깊은 영향을 끼쳤다. 이른바 105인사건의 진원지도 황해도였다. 임시정부의 수반 여섯 분 가운데 이승만, 박은식, 김구 세 분이 황해도 출신이다.

황해도 천주교의 중심에는 프랑스외방전교회 출신 독일인 신부 빌렘Nicolas J. M. Wilhelm이 있었다. 본디 프랑스 사람이었으나 고향 알자스로렌이 독일에 병합됨으로써 국적도 바뀐 기구한 신부였다. 1895년에 조선교구 신부로 발령을 받은 그는 황해도 신천과 해주 일대에서 포교했다. 안중근이 순국하기 전날 병자성사를 준 신부가 바로 빌렘이다. 그 무렵 김구는 1904년 28세의 나이에 최준례를 만나 결혼했는데 준례는 천주교 세례명인 '줄리아Julia'의 한국식 표기였다고 한다.

황해도에서 빌렘 신부의 신심에 경도된 집안이 바로 안중근의 아버지인 안태훈安泰勳 진사였다. 김구가 감수성이 높던 청년 시절에 황해도에서 명망 높은 안태훈 진사를 만난 것은 뜻깊은 인연이었다. 김구는 안태훈의 집안을 드나들며 그의 서실에서 천주학과 서학에 대한 견문을 넓혔다. 안태훈과의 인연을 통하여 김구가 천주교에 귀의한 것은 아니지만 그 인연은 오래 이어졌다. 더욱이 안 진사의 아들이자 안중근의 동생인 안정근의 딸 안미생(수산나)을 맏며느리, 곧 맏아들 김인의 아내로 맞이한 혼맥으로 말미암아 천주교에 대한 이해가 높아졌다.

안미생은 중국 허베이성 베이징에서 태어나 상하이에서 성장했다. 그 뒤로 그는 가족을 따라 중국 각지를 전전하다가 홍콩 센트베리학원을 졸업하고 윈난성 쿤밍昆明의 서남연합대학에서 공부했다. 그는 한때 충칭 주재 영국대사관에서 근무했으며, 대한민국임시정부와 충칭의 애국부인회 등에서 활동하였다. 1945년에 남편이 사망하자 안미생은 김구의 비서로 활동하였고, 1945년 11월 9일, 임시정부 환국 제1진으로 김구, 김규식 등과 함께 귀국하였다. 영어가 유창하였던 그는 귀국한 뒤에도 경교장에 머물며 김구의 비서 역할을 충실히 수행했다.

김구와 맏며느리이자 비서로 일한 안미생

해방 정국의 명동성당

　　해방이 되자 하지 사령관은 한국에 진주하면서 미군 군종 사령관이자 뉴욕 대교구장인 스펠만F.J.Spellman 대주교를 대동하고 9월 9일에 서울로 들어왔다. 점령군 사령관이 주교를 대동하고 입국했다는 사실은 그리 예사롭지 않은 일이었다. 군정장관 아널드A.Arnold는 독실한 가톨릭 신자로서 매주 명동성당의 미사에 참석했다. 하지는 당시 G-2의 책임자 니스트 대령Cecil Nist을 노기남 주교에게 보내어 군정 측과 협력할 한국인 지도자 60명을 추천해 달라고 부탁했다.

　　이러한 상황에서 노기남은 9월 18일에 하지 사령관을 방문하여 한국의 상황에 대한 의견을 나누었다. 노기남은 장면 등 측근과 상의하여 작성한 명단을 하지에게 제공했다. 그 명단이 우익 일색이었다는 점에서 한국 천주교회의 정치적 선택은 이미 우경화되었고, 천주교는 군정 당국에 긴밀히 협력하기 시작했다는 점을 알 수 있다. 미군정의 종교정책이 개신교가 아닌 천주교 측으로 쏠리고 있음을 감지한 이승만은 1945년 11월 30일에 노기남 주교를 방문하여 인사를 나누었고, 노기남은 12월 8일에는 명동성당에서 임시정부 주요 인사의 귀국을 환영하는 미사를 집전했다. 이때로부터 노기남은 장면張勉 정부에 이르기까지 한국 정치의 중심에서 활약했다.

　　이 무렵 한국 천주교회의 또 다른 유력자로는 박병래(朴秉來, 1903~1974)가 있었다. 그는 충청남도 논산 출신으로 선조 때부터 가톨릭 신자의 집안이었는데, 논산에서 사목하던 프랑스인 목세영(睦世

永, Bermond J. Marie) 신부의 권고로 아버지와 신학문을 공부하고자 어린 시절에 상경하였다. 뒤에 아버지는 남대문상업학교를 인수하여 동성상업학교(지금의 동성중고등학교)를 세우는 등 교육 사업에 큰 공을 세웠다. 박병래는 1924년 경성의학전문학교를 마친 뒤 모교에서 내과를 전공하고 성모병원의 원장이 되었다.

한국 천주교회는 미군정으로부터 많은 후의를 입었다. 이를테면, 1943년부터 중지되었던 성탄 자정 미사가 1945년부터 전국 라디오로 생중계되었으며, 매주 일요일이면 9시 30분에 미군을 위한 미사를 올리면서 메리놀외방선교회가 미군정과 한국인의 관계를 돈독히 하는데 크게 기여했다. 1947년 12월 24일 경성전기주식회사가 제한 송전을 해제하자 서울방송에서 자정까지 음악과 연극을 방송한 다음 자정미사를 중계했다.

1946년 2월 1일에 열린 비상국민회의가 바로 명동성당에서 열린 것도 예사롭지 않다. 한국민주당의 창당 요인 가운데에는 천주교 신자들이 많았는데 이는 미군정으로서도 마다할 이유가 없었다. 1946년 5월 조선공산당 위폐 사건으로 조선공산당 본부와 해방일보사가 함께 쓰던 조선정판사가 폐쇄되자 미군정은 가톨릭교회에 이를 넘겨주어 그 자리에서 『경향신문』이 발행되었다.

해방 정국에서의 천주교와 김구

　　임시정부 인사들이 환국한 지 보름이 지난 1945년 12월 8일에 노기남 주교는 명동성당에서 임정 인사 환영 미사를 올렸다. 김구가 이 미사에 참석했다는 기록은 없다. 1946년 4월 21일, 명동성당에서 큰 행사가 있었다. 『백범 김구 선생 사진 자료집』(208쪽)에는 영문 모를 사진 한 장이 설명 없이 실려 있다. 사진을 보면, 김구와 이승만과 프란체스카 여사가 명동성당으로 입장하고 있다.

명동성당의 민주의원 초대 미사 (1946.4.21.)

패트릭 번 신부의 주교 승품식 (1949.6.14.)

사실을 알아보니 그날 10시에 대미사가 있었는데 노기남 주교가 민주의원들을 초대하여 미사를 본 뒤에 점심을 대접하는 모임이었다. 이 사실은 노기남 주교의 일기(1946년 4월 21일 자)에 메모 형식으로 기록되어 있다. 직책으로 보면 민주의원 의장인 이승만이 수석대표였으나 김구가 앞장을 서 입장하고 있고 이승만과 프란체스카 여사 부부가 뒤따라오는 모습이 이채롭다. 옆에 도열해 있는 여학생들은 계성여학교 학생으로 보인다.

이 무렵 일제강점기에 평양교구장을 지낸 후 조선을 떠났던 번 주교가 1947년 한국 파견 시찰관으로 임명되어 입국했다. 그는 이어 한국 주재 초대 교황사절로 승진 임명되었다. 1948년 12월에 유엔에서 한국을 승인하자 로마교황청은 1949년 4월 17일에 가장 먼저 한국을 승인하고 번 주교를 파견한 것이다.

경교장을 방문한 천주교 사제단(1948.2.)

필라델피아 가제라교구 주교로 임명된 번은 6월 14일 오전 8시 30분에 명동성당에서 주교 승품식을 거행했다. 이 자리에는 이승만 대통령 부부, 김구, 신익희 국회의장, 임병직 외무부장관, 안호상 문교부장관 등이 참석했다. 미사를 마친 뒤에 축하식과 축하연이 열렸다. 식사 자리에 이승만 대통령 부부의 모습이 보이지 않는 것으로 보아 일찍 자리를 뜬 것으로 보인다.

6·25전쟁이 일어나자 번 주교는 피난하지 않고 자리를 지키고 있었다. 7월 13일부터 18일 사이에 여러 성직자들과 함께 공산군에게 납치되었다. 공산군은 번 주교 일행을 소공동 삼화빌딩에 감금했다가 7월 19일에 평양으로 이송했다. 그들은 평양에서 10월 21일까지 포로 생활을 하다가 700명의 다른 납북자들과 함께 만주 국경까지 끌려갔다. 번 주교는 끌려가면서 기력이 핍진한 데다 폐렴에 걸려 중강진에서 '죽음의 행진' 중에 숨을 거두었다. 레인R.A.Rane이 그의 생애를 그린 전기 『쇠사슬에 묶인 대사』(*Ambassador in Chains*, New York : P. J. Kennedy, 1951)가 있다.

마지막 가는 길

1949년 6월 26일은 일요일이었다. 김구가 저격을 당하자 비서진이 서둘러 부근에 있는 적십자병원 외과과장을 불러 응급 치료를 하려 했으나 이미 때가 늦었다. 김구는 오후 12시 5분에 향년 74세를 일기로 서거했다. 소식을 듣고 주치의인 성모병원장 박병래 박사가 간호사와 함께 달려왔으나 회생 가능성이 없자 박병래는 김구에게 '베드로 Peter'라는 세례명으로 대세代洗를 주었다. 대세라 함은 임종 또는 사망과 같은 긴박한 상황에서 신부의 집전으로 세례를 받을 수 없을 경우에 가까운 지인이 신부를 대신하여 세례를 주는 예식을 뜻한다. 김구는 그렇게 우리의 곁을 떠났다.

김구는 귀국한 뒤 4년 동안, 망명 생활에서 병약해진 몸을 성모병원에서 치료를 받았는데, 이때 맏며느리인 안미생으로부터 천주교에 대한 교리를 많이 들었고, 주치의 박병래 박사와도 자별한 사이가 되었다. 안미생은 뒤에 미국으로 건너갔고, 김인과의 사이에 난 무남독녀 김효자(金孝子, 1941~?)는 박병래의 보살핌을 받다가 서울대학교 미술대학 조소과를 졸업하고 어머니를 찾아 미국으로 간 뒤 소식을 모른다.

1969년 8월 22일은 김구의 탄생 90주년이 되는 어름이었다. 이날 오전 10시, 서울 남산 야외음악당에서 그의 동상 제막식이 거행되었다. 윤제술 국회부의장, 이석제 총무처장관, 장제스 총통의 특사인 자유중국고시원장 쑨커孫科 박사와 위빈于斌 추기경이 참석했으며 수많은 시민들이 운집했다.

일중 김충현이 동상 좌대의 글씨를 쓰고 박정희 대통령과 장제스 총통의 휘호를 좌우에 음각했다. 공군 군악대의 주악으로 조가가 울려 퍼지고 쑨커 박사는 추모사를 통해 "한국의 위대한 애국자 김구 선생의 동상 제막을 자유중국 국민과 더불어 축하한다"고 덕담을 했다. 아

남산에 있는 김구 동상

들 김신 주중 대사는 "온 겨레의 성원으로 선친의 동상이 서게 되어 기쁘다"고 유족 인사를 했다.

중국에서 특별히 위빈 추기경을 파견한 것은 김구와 그의 깊은 우의를 추념하고자 함이었다. 그는 김구와 각별한 사이여서 1940년 11월 11일에 광복군 출정식에 참여하여 서명을 남겼다. 김구는 그가 1943년 카이로회담 때 장제스를 수행하면서 각국 대표들에게 한국의 독립을 호소한 것을 늘 고맙게 생각하고 있었다.

위빈 추기경이 한국에 입국할 때 특별히 그해 추기경에 오른 김수환金壽煥 대주교가 공항에 나가 영접했다. 위빈은 그를 향하여 "세계에서 가장 젊고 유능한 추기경을 가진 한국 교계에 기대가 크다"고 말했다. 명동성당에서는 1969년 8월 24일에 위빈 추기경 방한을 기념하는 미사를 올렸다.

용성 스님의
발자취를 찾아가다

대각사

서울시 종로구 봉익동 2번지, 대각사大覺寺에 들어서니 인적이
없다. 종무소에는 사무장도 없고 임시로 방을 지켜 달라는 부
탁을 받은 보살님이 무심하게 우리를 맞는다. 벽에는 석전石田
황욱黃旭 선생이 92세에 썼다는 악필握筆 '만법귀일萬法歸一'의 족
자가 외롭게 걸려 있다. 만공滿空 스님이 봉곡사鳳谷寺에서 용맹
정진하며 화두로 삼았다는 만법귀일의 그 '하나'는 무엇이었을
까? 용성 스님의 사자후獅子吼는 모두 어디로 가고 이토록 적막
함만이 감도는지….

우리는 종무소를 나와 법당에 참배한 다음 경내를 돌아보다가
심검당尋劍堂 앞에 이르렀다. 문이 잠겨 들어갈 수가 없다. 스님

종로구 봉익동에 있는 대각사의 모습

들이 수행 중인 것 같았다. '심검'이란 칼은 찾는다는 뜻이다.
칼을 찾으면 무엇을 하려던 것일까? 번뇌를 끊어 버리려 함이
었을까? 김구는 무슨 사연이 그리도 깊었기에 27년 만에 고국
에 돌아와 가장 먼저 이곳을 찾아 감사의 감회에 젖었을까?

민족과 종교, 그 깊은 인연

　김구가 대각사와 인연을 맺은 것은 전적으로 주지 백용성(白龍城, 1864~1940)과의 만남 때문이었다. 백용성의 본관은 수원이요, 법명은 진종辰鍾이요, 속명은 상규相奎이며, 용성은 법호法號로서 전라북도 장수長水에서 태어났다. 그는 16세에 출가하여 화월華月 스님을 은사로 모시고, 상허혜조율사相虛慧造律師에게서 사미계를 받은 뒤 20세가 되던 1883년 3월 통도사에서 선곡율사禪谷律師로부터 비구계와 보살계를 받았다. 그는 1884년(21세)에 선산 도리사桃李寺에서 용맹정진을 마치고 해인사로 들어가면서 낙동강 가에서 이런 게송偈頌을 읊었다.

> 金烏千秋月(금오천추월) 금오산에 천년의 달이 비치고
> 洛東萬里波(낙동만리파) 낙동강에는 만리의 파도가 치는데
> 漁舟何處去(어주하처거) 고기잡이배는 어디로 갔는지
> 依舊宿蘆花(의구숙로화)　갈대꽃만이 예련 듯 잠들어 있네

　용성은 해인사 조실을 마치면서 상좌인 고암古庵에게 자리를 넘기고 철원 보개산으로 들어가 『선문촬요禪門撮要』를 저술했다. 이 무렵 그는 해인사 원당암에서 미타회彌陀會를 창설하여 "하루 일을 하지 않으면 하루 밥을 먹지 않는다一日不作 一日不食"는 이른바 염불선농일치念佛禪農一致를 주장하였다.

　1919년 3·1운동 때 용성은 민족 대표 33인 가운데 한 사람으로 불

교계를 대표하여 독립선언서에 서명하였으며, 이 일로 1년 6개월간 옥고를 치렀다. 출옥한 뒤에는 불교 종단의 정화에 힘쓰고 대처승의 법통 계승을 인정하는 일본의 종교 정책에 맹렬한 반대 투쟁을 전개하였다. 용성은 불교의 대중화 운동을 촉진하고자 한문 경전을 한글로 번역하는 작업에 진력하다가 1940년 2월 24일 속세의 나이 77세, 법랍 61세에 입적하였다. 도심에는 납골이 불가능하여 사리는 해인사에 모셨다. 1962년 건국헌장 대통령장이 추서되었다.

대각사의 유래

한 민족이 멸망하면 가장 먼저, 그리고 가장 치명적인 상처를 입는 곳은 그 민족의 마음의 고향이요 의지처인 종교인데, 일제강점기의 불교도 그 예외가 아니었다. 이럴 경우에 민족보다 종교(교당)를 지키고자 훼절하는 교단이 없는 것은 아니지만 양심과 신앙을 지킨 교단은 동족과 함께 박해를 벗어날 길이 없었다.

조선 시대에는 승려의 도성 출입이 금지되어 있었으나 개화기에 들어서 일본 승려들은 출입할 수 있었다. 이것이 문제가 되어 갑오경장과 더불어 1895년부터 한국의 승려도 도성 출입이 허락되었는데 이때부터 한국 불교의 왜색화 작업이 가속화되어 계율이 무너지고 승려의 결혼을 허락함으로써 전통의 가치가 훼손되기 시작했다.

이 무렵인 1911년에 용성은 서울 종로구 봉익동에 대각사大覺寺를 창건하였는데 이때 퇴위한 고종의 시주가 큰 도움이 되었다. 용성은 58세 되던 1921년에 부처님의 가르침에 따라 대각교를 선포하였는데, 이는 새로운 종파를 창립한 것이 아니라 원각경圓覺經을 믿음의 바탕으로 삼고, 범망경梵網經의 계율에 따라 마음을 다스리는 승단이었다.

용성의 계율에 따르면, 출가 수행하는 정사正士에게는 교단에서 비용과 식량을 공급하여 출가자들이 안정된 여건에서 수행에 전념하도록 했다. 세칙에는 부처님 오신 날, 성도절, 열반절 등 3대 기념일에 남녀교인총회를 개최하도록 했다. 용성의 이와 같은 선풍은 1919년 3·1운동을 거치면서 청정 수행의 기풍을 일으켰는데, 이것이 1947년 성철, 청담, 자운, 우봉 스님 등이 주축이 되어 '부처님의 법대로 살자'는 이른바 봉암사 결사로 이어졌다.

보은의 길

김구가 용성을 만난 것은 1912년이었다. 김구는 도성에 올라올 일이 있으면 대각사에 머물면서 용성의 가르침을 받았다. 그런 인연으로 김구가 중국에 망명해 있는 동안 용성은 그에게 틈틈이 독립 자금을 보냈을 뿐만 아니라, 1916년 독립 자금을 전달하는 방법으로 함경도 북청에서 거짓 금광을 경영하였다.

김구가 용성으로부터 도움을 받던 1940년, 충칭에서 활동하던 그는 용성이 열반했다는 소식을 듣고 목 놓아 울었다. 같은 불자로서의 인연, 선승답지 않게 속세의 민족을 걱정하며 독립 자금을 보내 준 데 대한 고마움, 그토록 염원했던 조국의 독립을 보지 못하고 열반한 스님에 대한 속인으로서의 안타까움, 오래 만나지 못한 그리움 등이 한꺼번에 그를 엄습했을 것이다. 그런 인연으로 김구가 환국과 더불어 제일 먼저 공식적으로 찾은 곳이 곧 대각사였다.

1945년 12월 12일, 김구는 환국한 지 20일 만에, 그토록 바쁜 시간 속에 틈을 내어 대각사를 찾았다. 그의 첫 마디 말은 "용성 조사의 항일 정신과 불교 중흥을 위한 노력이 세상에 빛을 보게 되어 기쁩니다"라는 것이었다. 이어서 김구는 "용성 조사는 이미 열반하셔서 안타깝지만, 스님의 크고 깊은 뜻을 우리 동지들이 잊지 말아야 한다"고 말하면서 용성 스님이 쌀가마에 돈을 넣어 만주로 보내 주어 긴요하게 썼던 일을 회상했다.

먼 훗날, 그 자리에 함께했던 대각사의 여신도 법왕심法王心 김흥업 보살은 그날의 김구와 일행, 그리고 오고 간 이야기와 일들을 똑똑히 기억하여 후세에 기록을 남겼다. 그날은 용성 조사를 음양으로 도왔던 최 상궁의 생일이어서 축하 겸 작은 잔치가 열리고 있었다. 김흥업이 불공을 드리러 갔더니 유림, 김붕준, 홍진, 이시영, 황학수, 김창숙, 조소앙, 이범석 등 30여 명이 도착해 있었다.

그 자리에는 용성 조사의 상좌였던 동암당東庵堂 성수性洙 스님과 회암檜庵 스님이 함께했다. 최 상궁도 함께 자리하여 공양을 들며 앞으로 나라를 어떻게 이룩할 것인가에 대한 이야기를 나누었다. 김흥업은 그때 김구가 그 자리에 따님을 데려왔다고 회상했는데 이는 맏며느리인

대한민국 림시정부 봉영회긔렴
1945. 12. 12.

대각사에서 열린 임시정부 요인 환영회 (1945.12.12.)

대각사에서 오찬 후 촬영 (1945.12.12.)
앞쪽 왼쪽 두 번째부터
조소앙, 이시영, 김구, 회암 스님, 동암 스님이다.
©동암 스님, 녹야원

안미생을 혼동한 것이다. 점심 공양은 밤, 고구마, 보리밥, 산나물 종류였다.

그 자리에서 김구는 "용성 스님의 유훈 10사목을 그 제자인 동암 스님이 받아 손제자인 도문道文 스님이 실현하는 것을 보며 이제 여한이 없다"고 말하고, 이어서 "앞으로도 대각사가 용성 스님의 뜻을 받들어 한국 불교의 종승宗乘 성지가 되어 남북통일을 이루는 불도량으로 자리하기를 바란다"고 당부했다. 그날 자리를 함께했던 범어사 홍교興教 스님은 "시민들이 얼마나 많이 모여들었는지 건물 한쪽이 무너질 정도였다"고 회상했다. 동암 스님은 1945년 12월 12일 서울운동장에서 개최된 임시정부 환국 봉영회의 회장이었고, 회암 스님은 대각사 주지였다. 뒷날 동암 스님은 한국 불교의 미래를 개척한 선구자라는 칭송을 들었다.

식민지 조국의 국가 수반으로 김구는 많은 물질과 마음의 빚이 있었을 것이다. 거기에는 크고 작음과 깊고 얕음의 차이가 있었을 터이지만 김구는 정리情理를 먼저 생각했다. 그래서 가야 할 곳이 많았음에도 김구가 환국과 더불어 가장 먼저 찾은 곳이 대각사였다. 그가 중요하게 여긴 것은 정리였고, 존경이었고, 고마움이었고, 그리움이었을 것이다. 김구의 삶은 그러했다.

봉원사와 화계사

봉원사奉元寺를 향해 올라가는 길은 가팔랐다. "답사는 가슴 떨릴 때 다니는 것이지 다리 떨릴 때 가는 것이 아니다"라는 어느 여행가의 말이 귓전을 맴돌았다. 사찰 경내에 이르니 중요무형문화재 제50호 영산재 보존회 사찰답게 법당이 단아했다. 안내문의 역사를 읽어 보니 봉원사는 신라 진성여왕 3년(889년)에 도선국사가 한강 서북쪽의 금화산金華山에 창건한 반야사般若寺로부터 시작되었다.

조선왕조에 이르러 이 절을 좋아한 영조가 1748년에 반야사를 지금의 자리로 옮겨 이름도 봉원사로 바꾸었다. 서울 근교에 봉원사뿐만 아니라 봉은사奉恩寺·봉선사奉先寺·봉영사奉永寺 등의 사찰이 있는데 이처럼 절의 이름에 '봉奉' 자가 들어 있는 곳은 왕실의 원찰願刹이었다.

서울시 강북구 수유동에 있는 화계사華溪寺는 개화기에 흥선대원군의 원찰로 총애를 받았다. 화계사는 꽃이 아름답고華美, 계곡이 아름답고溪美, 절이 아름답기로寺美 이름난 사찰이었다. 돌이 희고 계곡이 맑고 꽃이 만개하여 이곳을 '화계동'이라 불렀는데 아마도 절의 이름도 거기에서 유래된 것으로 보인다. 화계사 역시 조선왕실의 원찰로 중종 17년(1522년)에 신월信月 선사가 창건하여 화계사라 이름을 지었다. 이 두 절에서도 김구의 발자취를 찾아볼 수 있다.

봉원사의 글씨들

요사채 툇마루에 앉아 바라보니 법당 뜰에 더위를 먹은 태극기가 휘날리지도 못한 채 축 처져 있었다. 언필칭 호국 불교라지만 요즘 세상에 태극기를 걸어 놓은 사찰이 흔치는 않다. 좌우를 돌아 요사채의 문설주에 걸린 현판들을 더듬어 살펴보니 놀랍게도 옹방강(翁方綱, 1733~1818년)이 쓴 '무량수각'이었다.

그의 글씨 좌우로 걸려 있는 것은 추사 김정희의 것으로 하나는 '산호벽수'였다. 산호벽수는 진秦나라 제후들이 사냥하는 모습을 지은 금석문인데 서예사에서 그 가치가 높다. 추사의 다른 하나는 '청련시경'

청나라 옹방강이 쓴 '무량수각'

추사 김정희가 쓴 '산호벽수'

추사 김정희가 쓴 '청련시경'

이다. 이태백의 호가 청련靑蓮이었던 점으로 보아 추사가 어느 절경을 보며 정자에 써 준 현판이었던 것으로 보인다.

대웅전의 글씨는 원교 이광사의 글씨가 틀림없는 듯한데 낙관이 좀 어설프다. 알고 보니 당초에 이광사의 글씨가 걸려 있었으나 6·25전쟁 때 대웅전이 불타 없어져 사진을 보고 재생한 것이라 한다. 대웅전을 들여다보니 석가모니불께서 가엾은 듯한 표정으로 나를 내려다보고 있었다. 왜 예수는 위를 쳐다보고 부처는 아래를 굽어볼까? 여호와는 위에 있고, 중생은 아래에 있기 때문일까?

예전부터 알려지기로는 이곳 명부전의 현판은 정도전의 글씨라고 한다. 그토록 척불론에 기치를 높이 들었던 그가 이곳 현판을 썼다는 것을 어떻게 이해해야 할까? 세도가 하늘을 찌를 때『불씨잡변佛氏雜辨』을 쓰지 않고 하필이면 세상 떠나기 이태 전에 그런 모진 글을 썼는지를 설명할 길이 없다.

명부전의 주련은 본디 이완용의 글씨였으나 해방 이후에 철거하여 수장고에 넣어 볼 수가 없다고 한다. 이완용의 오명이야 여기에서 새삼 얘기할 바가 못 되지만 그는 조선서화학교 초대 교장을 지낼 만큼 서예에 일가를 이루고 있어 그의 서화는 고가로 거래된 적이 있었다.

거슬러 올라가 때는 1880년 초엽 어느 봄날, 화사하지 않으나 귀한 집 자손들로 보이는 청년들이 이 절을 찾아왔다. 그들은 김옥균과 박영효, 그리고 어린 서재필을 비롯한 당대 사대부의 아들들이었다. 그들은 이곳에서 개화승 이동인李東仁을 만났다. 이동인은 1849년 언저리에 태어났으니 그때 나이가 30대 초반이었을 것이다. 그는 개화기에

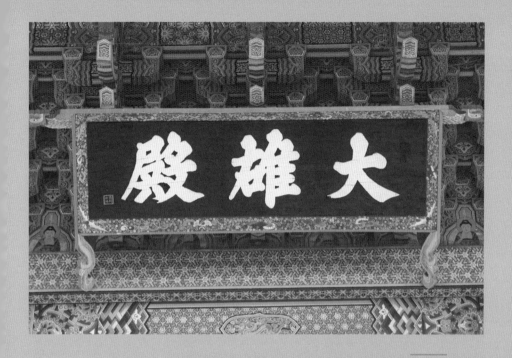

원교 이광사가 쓴 봉원사 대웅전의 현판

정도전의 글씨로 전해지는 명부전의 현판

이미 '아사노 도진朝野東仁'으로 개명했는데 이는 '조선에서 온 재야 인사'라는 뜻이었다. 법호는 서명西明이었다. 서양이 그토록 밝게 보인 탓이었을까?

이동인은 본디 화계사의 암자인 삼성암의 주지였는데 일본공사 하나부사 요시모토花房義質의 통역인 가에데 겐테스를 만나 일본 불교에 접촉하면서 일본어를 배웠다. 이동인의 생애는 한국근현대사의 대표적인 미스터리로 기록되어 있다. 아마도 그는 대원군의 손에 모살되었을 것이라는 말이 있다.

봉원사 요사채 ©김명섭

봉원사를 찾아온 원종

    1899년 3월 무렵에 한 객승이 봉원사를 찾았다. 법명을 원종圓宗이라 했다. 그는 공주 마곡사에서 하은당 스님 밑에 불법을 공부하다가 심화를 견디지 못하고 법당을 벗어나 구름처럼 비승비속으로 떠돌던 김구였다. 그는 고향으로 가던 길에 봉원사에 들렀는데 당시로서는 승려의 도성 출입이 금지되던 시절이라 지난날 인연을 맺은 사형 혜명 스님을 만나러 봉원사를 찾아온 것이었다. 그가 마곡사를 떠난 것이 3월이었고, 해주에 도착하여 부모님을 만난 것이 4월 19일이었으니까 봉원사를 찾은 것은 3~4월 어느 녘이었을 것이다.

    김구는 봉원사에서 그리 오래 머물지 않았다. 그리고 당초부터 봉원사에 머물고자 찾아온 것도 아니었다. 승려의 생활을 청산하기로 반쯤 마음을 먹고 있던 터이니 승려로서의 생활에 크게 매료된 것은 아니었다. 그는 봉원사를 떠나 그해 한 해 동안 평양의 대보산 영천암에서 잠시 승려 생활을 하다가 환속하여 고향으로 돌아갔다.

    그렇다고 하더라도 스물세 살의 젊은 나이에 몸담았던 승려 생활에 대한 그리움이나 그 당시의 은혜에 대한 고마움이 왜 없었겠는가? 무슨 운명이었을까? 그는 세상을 하직하기 꼭 한 주일 앞서 1949년 6월 19일에 다시 봉원사를 찾았다. 그는 광복기념법전 앞에서 여러 스님과 함께 사진을 찍었다. 속세에서 공식적으로 찍은 마지막 두 번째 사진이었다.

    이렇게 속세에서의 김구의 불교 순례는 끝났다. 그는 여러 가지 종

봉원사 광복기념법전을 참배하고 찍은 기념사진(1949.6.19.)

교를 찾아 구도하다가 끝내 기독교에로 귀의하여 일생을 마쳤지만 그의 마지막 순례는 봉원사에서 마쳤다. 그가 정토에 갔는지 에덴동산에 갔는지는 알 수 없지만 그의 염원과 참회는 아마 하늘을 감동시키지 않았을까?

화계사와 대원군

김조순으로부터 시작된 외척 안동 김씨의 세도정치가 극심할 무렵 모진 목숨으로 살아남고자 파락호의 행세를 하던 흥선대원군 이하응李昰應이 어느 날 남루한 옷차림으로 화계사를 찾았다. 그는 이곳의 약수烏啄泉로 피부병을 고치고 싶어 했다. 그가 절 앞 느티나무 아래에 이르니 동자승이 기다리고 있었다는 듯이 꿀물이 든 사발을 내밀었다. 이를 기이하게 여긴 대원군이 연유를 물으니 동자는 대원군을 주지인 만인 스님에게 안내하였다.

이후로 두 사람이 서로 흉금을 털어놓을 사이가 되자 대원군은 외척을 몰아내고 왕권을 되찾을 방법을 물었다. 이에 만인 스님은 인연이란 어쩔 수 없는 것이라 탄식하며, 덕산德山 가야산의 가야사伽倻寺 금탑 자리가 제왕의 음택이니 아버지 남연군의 묘소를 그리로 이장하라고 가르쳐 주었다. 대원군이 가야사를 찾아가 법당에 불을 지르고 탑을 허문 다음 남연군의 묘를 그리로 이장했다. 그 뒤로 대원군의 아들이 왕위에 등극하여 고종이 되었으니 만인 스님의 풍수 예언이 맞은

화계사 대웅전. 현판은 신헌의 글씨이다.

홍선대원군이 쓴 화계사 현판

김구의 화계사 방문 사진(1946, 겨울)

셈이다.

대원군의 집권과 더불어 화계사에도 영화가 찾아왔다. 1866년(고종 3년)에 용선과 범운 두 선사가 대원군의 도움으로 지금의 가람을 고쳐 짓게 되었다. 그리고 보니 곳곳에 대원군의 흔적이 살아 움직이고 있다. 사찰의 성격을 알아보는 첫 번째 모습은 누가 법당의 현판과 주련을 썼느냐이다. 명부전과 학서루 그리고 법해도화와 대방에 걸린 대원군의 현판이 참으로 우람하다. 그가 석파란石坡蘭을 친 것은 가끔 보이지만 글씨를 볼 수 있는 기회는 그리 많지 않다. 여유롭고 힘찬 것으로 보아 궁기를 면하고 살 만한 어느 때 쓴 듯하다. 명부전은 조대비趙大妃의 시주로 지은 것이다. 대웅전의 현판과 주련은 전라도우군절도사인 위당威堂 신헌(申櫶, 1810~1884)의 글씨인데 이것이 범상치 않다.

화계사를 찾은 김구

1946년에 김구는 엄항섭 등과 함께 이 사찰을 찾았는데, 복장으로 보아 한겨울인 듯하다. 한복에 두 줄 단추의 서양식 코트가 문명 전환기의 풍속도를 잘 보여 준다. 김구의 이런 복장은 흔치 않은 모습이다. 앞에 김구와 함께 서 있는 스님은 주지 권종식인 것으로 보인다. 방안에서 촬영한 사진에는 스님의 모습이 보이지 않는 것으로 보아 사찰 행사에 참가하러 간 것 같지는 않다. 그가 한겨울에 왜 화계사를 찾았는지는 역사의 미궁으로 흘러들어 갔다.

김구의 파란만장했던 종교의 순례는 이렇게 여기에서 끝난다. 유교·동학·불교·기독교·천주교에 모두 몸을 담은 그의 영혼은 어디로 갔을까? 그 모든 곳을 아직도 순례하고 있을까, 아니면 그 어느 한 곳에서 안식하며 조국의 통일을 위해 아직도 울먹이며 기도하고 있을까?

삼의사 천장식

환국한 김구는 그 바쁜 와중에도 늘 죄지은 것처럼 마음에 걸리는 부담이 있었다. 그것은 다름 아닌 윤봉길, 이봉창, 백정기 삼의사의 유해를 환국하여 안장하지 못한 것이었다. 김구는 그들을 비롯한 젊은 열사들을 죽게 한 책임이 자기에게 있다는 자책감으로 괴로워하고 있던 터였다. 거사 장소로 떠나면서 선물을 바꾸고, "지하에서 만나자"고 헤어진 장면을 잊을 수가 없었다. 그런 상황에서 반탁을 주도하던 김구가 1945년 12월 31일, 상임위원회를 발표했는데, 그 가운데에는 무정부주의자 박열(朴烈, 1902~1974)이 포함되어 있었다.

1946년 3월 18일, 박열은 국내 신문에 좌우 대립을 비판하고 건국 사업에 매진할 것을 주장하면서 자신들이 윤봉길, 이봉창, 백정기 삼의사의 유해를 찾아내어 도쿄에 있는 신조선건설동맹 사무실에 봉안하고 있다고 발표했다. 삼의사의 유해가 어찌 처리되었는지에 대하여 알지 못하고 있던 터에 박열의 제보에 용기를 얻은 민주의원은 삼의사의 유해를 국내로 봉환하기로 결정하고 준비위원회를 결성했다.

박열

원혼의 귀국

이와 같은 결의에 따라 도쿄에 있는 신조선건설동맹 부위원장 이강훈과 외무부장 유호일 그리고 김기성과 김정주가 먼저 윤봉길과 백정기 의사의 유골과 유품을 찾아 귀국했다. 그들의 설명에 따르면 당시 일본에 잔류하던 동포들 220만 명의 삶이 몹시 곤궁하여 이들을 돕고자 신조선건설동맹을 결성했는데 이들이 삼의사의 유해 환국을 추진했다고 한다. 그 중심에는 아키다형무소에서 출옥한 박열이 있었다.

일행은 먼저 윤봉길 의사의 유골을 찾으러 가나자와金澤로 갔다. 그러나 공동묘지라 알 수가 없어 며칠을 묵고 있는데, 부근 왜인들이 입을 모아 모르겠다고 대답했다. 그들은 하는 수 없이 "그러면 이 부락의 묘를 전부 파 보겠다"고 말하였더니, 그 말에 놀란 묘지 관리인이 밤중에 팻말을 꽂아 가르쳐 주었다. 그들이 매장지를 파 보니 목제 십자가와 자색 양복과 검정 구두와 중절모자와 유골이 나타났다.

이봉창 의사는 우라와浦和형무소 묘지에 매장된 것을 신조선건설동맹 회원들이 알고 있었다. 그들이 사법대신을 만나 이야기하고 우라와 형무소에 가서 물은즉 소장은 모른다고 회피하였다. 그러면 최후의 수단을 쓰겠다고 강경하게 나섰더니 교무관을 불러 가르쳐 주도록 하여 겨우 유해를 모시게 되었다.

일행은 다시 나가사키長崎로 백정기 의사의 유해를 찾으러 가 그곳 형무소장을 만났다. 그런데 그의 말인즉 독장獨葬이 아니고 다른 시체와 합장合葬을 한 것 같다고 말했다. 분개한 일행은 한 나라의 열사를 이름도 모르고 추악한 다른 시체와 합장을 하는 모욕에 분노하며 항의했다. 그제야 기세에 놀란 형무소장은 매장 장부를 조사하더니 "독장입니다. 장소도 알겠소" 하고 사과하며 가르쳐 주었다.

그리하여 일행은 삼의사의 유해를 도쿄 리쿠다이陸大에 있는 본부사무소에 모시고 갔다가 2월 19일, 간다神田 공립 강당에서 유골 봉환식을 거행하였다. 부산으로의 귀국은 맥아더 사령부가 마련해 준 군함을 이용했다. 이번 귀국에는 우선 윤 의사의 유품, 양복, 모자, 구두 그리고 당시 윤 의사의 사건을 게재한 신문의 복사본만을 가지고 왔다.

이와 같은 이강훈의 보고에 따라 김구는 정인보를 대동하고 6월 15일에 부산으로 내려갔다. 일행은 부두로 나아가 삼의사의 유해를 마중했다. 동지의 유골을 받든 김구의 얼굴에는 만감이 흐르는 듯했다. 유해는 중앙동에 있는 부산부립유치원에 모셨다. 이튿날, 오전 8시가 지나 유해는 윤봉길 의사를 처형할 때 쓴 십자가를 앞세우고 부산역으로 행진했다. 학생과 만장을 든 조객과 기마경찰이 길에 가득했다. 하늘도 슬퍼하는 듯 비가 추적추적 내렸다. 운구 일행은 부산공설운동장으로 이동하여 추도식을 열었다. 이강훈과 윤봉길 의사의 동생 윤남의와 독립촉성국민회 부산지부장 최석봉이 유해를 가슴에 안고 걸었다. 부산에서 유골 봉환식을 마치자 영구를 서울 태고사로 모시기로 했다.

백정기 의사

이봉창 의사

윤봉길 의사

태고사를 찾아 조계사로

조계사는 본디 태고사였다. 1910년, 조선 불교의 자주화와 민족 자존의 회복을 염원하는 스님들이 중동중학교 자리에 각황사覺皇寺를 세웠다. 당시 각황사는 근대 한국 불교의 총본산으로 최초의 포교당이자 사대문 안에 처음으로 자리 잡은 사찰이었다. 불교계에서는 1937년에 이르러 각황사를 현재의 조계사 자리로 옮기는 공사를 시작하여 이듬해 삼각산에 있던 태고사太古寺를 이전하는 방식으로 새 절을 짓고 이름을 태고사라고 하였다. 태고사를 창건하면서 대웅전은 정읍에 있던 보천교普天敎 십일전十一殿을 이전하여 개축하였으며, 1938년 10월 25일에 총본산 대웅전 건물의 준공 봉불식을 거행했다.

1941년에 조선불교조계종 총본산이 태고사법을 제정함으로써 조선불교조계종이 발족했는데, 이때까지만 해도 조계사는 대처승 사찰이었다. 그러다가 한국 불교에 대하여 심각한 거부감을 느끼던 이승만 대통령의 지시로 '1954년 일제의 잔재를 몰아내는 불교 정화 운동'이라는 명분으로 대처승 사찰에서 비구승 사찰로 바뀌어 현재에 이르러 한국 불교의 대표 종파인 조계종의 본사로서 역할을 수행하고 있다. 삼의사의 유해를 태고사로 모시기로 한 것은 이곳이 한국 불교의 민족 자존을 염원하던 곳으로 서울 시내에 최초로 중창된 사찰이라는 상징성이 작용했다.

삼의사의 유해는 부산을 출발하여 6월 16일 오후 5시 40분 정각 특급 열차 '해방자호'로 서울역에 도착하였다. 역전에는 민주의원 부의장 김규식을 비롯하여 오세창, 원세훈, 함상훈, 그리고 각 민간단체가 출영을 나와 기다리고 있었다. 김구가 열차에서 내리자 정렬한 출영객 일동이 경건하게 경례를 했다. 이어서 유해 운구 일행은 서울역장의 안내로 귀빈실에서 잠시 휴게한 다음 소년군을 선두로 태고사로 향하였다.

때마침 비가 쏟아졌지만 연도의 관중들은 열사들을 모신 행렬을 향하여 숙연히 머리를 숙였다. 그날 7시, 유해가 태고사에 도착하자 바로 그곳을 방문한 이승만과 일반 조객들이 묵례를 올렸다. 간단한 불교 의식으로 안위식을 마치고 임시 봉안소에 유해를 안치하였다. 이날 역전에 출영한 김규식은 다음과 같은 감상을 말하였다.

> 급한 대로 세 분만을 이렇게 먼저 모시기로 했습니다. 이 밖에도 해외에서 모셔 올 분과 국내에서 모셔야 할 분이 상당히 많습니다. 앞으로 이분들을 안장할 묘소와 장례식 등 우리 정부가 수립된 다음에 국민 전체가 다시 성대히 해야 할 것입니다.

이날 김구는 지난날 생사를 함께하다 먼저 순국의 혼백이 된 동지 삼의사의 유골을 받들고 서울로 향하면서 국민에게 다음과 같은 담화문을 발표했다.

> …그 세 사람을 죽으라고 내보낸 것은 바로 나입니다. 그러나 그 세 사람을 보내고 나만이 살아 있으면서 아직 독립을 이루지 못하고 있으

니 삼열사에 대하여 부끄럽기 한량없고, 회고를 금할 수 없습니다. 조국을 위하여 심령을 바치고 지하에 잠드신 선열과 충의지사가 어찌 삼열사뿐이리오만 대담무쌍히 왜적의 심장을 향하여 화살을 던져 조선 민족의 불멸의 독립 혼을 중외에 떨친 것은 아마 이 세 분이 으뜸일 것입니다. 나는 지금 유골을 모시면서 스스로 부끄러운 생각을 억제할 수 없으며 그들[과 함께] 지하에 불귀의 손이 된 몇만 몇천 명의 동지들의 사심 없는 애국의 지성을 본받아 하루 바삐 통일된 우리 정부의 수립이 실현되도록 삼천만과 같이 분골쇄신 노력하겠습니다.

이어서 윤봉길의 동생인 윤선의가 다음과 같은 담화문을 발표했다.

우리는 물론 36년 동안 싸운 결과 기쁨의 이날을 맞이하였다고 생각합니다. 이번에 부산에서 추도식을 베풀어 주시고 동시에 성대히 모시게 됨은 참으로 우리 유족으로서는 넘치는 기쁨으로 생각합니다. 첫째 형님 유골 앞에 뵈올 적에 나는 전쟁에 가서 승전하고 돌아오는 형을 맞이하는 것과 같이 기쁜 감격으로 오로지 눈물뿐이었습니다. 저는 형님 유골 앞에 맹세하였습니다. 형님은 형님의 할 일을 다했다 생각하지만 아직 조선의 할 일은 남았다고 생각합니다. 미력한 힘이나마 나의 힘을 다하여 우리 자주독립에 만분의 일이라도 보답하기를 굳게 맹세합니다.

최초의 국민장

삼의사의 유해를 효창공원에 모시기로 하고 김구는 미군정청 왕실재산관리처를 찾아가 그들을 설득하여 세 분의 묘지로 쓰는 데 동의를 받았다. 태고사에 유해를 안치한 장례위원회에서는 국민들에게 국상國喪임을 알리고 6월 30일에 장례를 집행하되 상중에는 분위기를 엄숙히 지켜 주기를 바라면서 다음과 같은 성명을 발표하여 국민들의 준수 사항을 알렸다.

1. 삼열사의 국민장일인 6월 30일에 집집마다 조기弔旗를 달 것
2. 애도의 뜻을 표하며 자숙하는 성의에서 보통 음식점을 제외하고 그 밖의 일체 환락장은 휴무할 것
3. 6월 30일 장의 날에 각 지방에서는 지방마다(군·읍·면) 추도식을 거행하되 서울에서는 6월 29일에 시행할 것
4. 국민장이니만큼 국민 각자의 성의에 따라 능력껏 부의금을 제출하도록 권장할 것
5. 추도식 절차는 지방 형편에 따라서 적당히 할 것
6. 삼열사의 약력은 인쇄 중이므로 인쇄되는 대로 즉송하기로 함

당초에 장례는 15일장으로 하여 6월 30일에 모시기로 하였으나 산역山役 등의 일이 순조롭지 않아 7월 6일로 연기되었다.

1946년 7월 6일은 토요일이었다. 날씨도 청명했다. 삼의사의 장례

를 조문하고자 아침부터 5만 명의 시민이 태고사 주변에 운집하였다. 오전 10시가 되자 장례 행렬은 삼의사봉장위원회의 지도를 받아 엄숙하게 주악이 울리는 가운데 효창공원으로 출발하였다. 태극기를 선두로 소년 군악대와 각 정당 단체의 화환과 조기가 따르고 그 뒤에 무장경찰대가 경호하였다.

이봉창 의사의 명정과 유영遺影을 든 남학생들이 앞을 인도하고 태극기로 싼 흰 영구차의 뒤로 여학생들이 따랐다. 그 뒤를 이어 윤봉길 의사와 백정기 의사의 명정과 유영과 영구를 모셨는데 윤 의사의 사형을 집행할 때 사용된 십자가 모양의 사형가死刑架가 연도에 늘어서 삼가 영구를 맞이하는 시민들의 가슴을 한층 더 비감하게 만들었다.

행렬은 많은 시민의 애도와 눈물 어린 감회 속에 안국동 사거리를 지나 종로와 남대문 앞, 서울역을 거쳐 연병정(練兵町, 지금의 남영동)으로 향하였다. 행렬이 용산경찰서 앞을 지나 이봉창 의사의 출생지인 금정(錦町, 지금의 효창동)에 이르러 잠시 멈추었다가 장지인 효창공원에 도착한 것은 오후 12시 40분이었다.

묘지는 왼쪽으로부터 이봉창, 윤봉길, 백정기의 순서로 모시되 왼쪽은 먼 훗날을 대비하여 안중근의 허묘를 마련했다. 각 묘지 앞에는 김구의 글씨 '유방백세(遺芳百世, 꽃다운 이름을 백 대에 남긴다)' 네 글자를 새겨 각 묘소 앞에 한 자씩 세우도록 했다.

효창공원에서 열린 안장식에는 조객으로 이승만, 김구, 오세창, 이시영, 여운형과 각 정당 단체 대표자와 각 정치단체, 각급 학교 대표자들 5만여 명이 참여하여 오후 2시부터 엄숙히 거행되었다. 먼저 애국가를

이봉창, 윤봉길, 백정기 의사 추모식장인 부산공설운동장으로 가는 행렬(1946.6.15.)

효창공원에서 열린 삼의사 국민장
(1946.7.6.)

삼의사와 안중근 의사의 묘. 제일 왼쪽은 안중근 의사의 유해를 모시기 위해 마련해 놓은 자리이다.

합창하고 이강훈의 개회사가 있은 뒤 주악이 끝나자 조완구가 식사를 낭독하고 분향했다. 이어서 신현상이 목멘 소리로 제문을 낭독하고 김구와 삼의사 유가족이 분향한 다음 각 단체의 제문 낭독이 있었다. 이 자리에서 김구는 다음과 같은 조사를 낭독했다.

일찍이 세 분 열사가 조국의 광복과 동포의 자유를 위하여 장하신 길로 나아가실 때 결연히 떠나시던 그 기개와 도량이 너무나 비장하여 바다와 강이 거꾸로 흐르고 강과 산이 끊어질 듯하였습니다. … 열사들의 성스러운 피가 연합군의 승리를 알리는 봉화가 되지 않았으리오. 이로써 조국의 역사가 소멸되지 않고 이로써 나라의 혼이 끊이지 않게 되었습니다. … 나는 박열 군의 성명서를 읽고 깊이 경의를 표하여 마지않습니다. 무엇보다도 박 군은 무정부주의자였습니다. 무정부주의자의 이상과 신보로 인간의 자유의지와 개성을 절대 존중하는 박 군이 '조국과 동포를 위하여 각자의 주장을 버리고 오직 독립 일로로 매진하자' 하였으니 이것은 박 군이 애국의 뜨거운 마음으로 단결을 요구하는 충심을 표명한 것입니다. 동포여, 광복을 완성하여 선열의 영령을 위로할지어다.

오후 3시 지나 하관하고 봉토하여 30여 년 품었던 원한을 풀어 이 땅에 고이 잠들게 한 감격의 국민장은 이렇게 끝을 맺었다.

남양주 홍릉

남양주시 금곡에 자리 잡은 홍유릉은 홍릉과 유릉이 합쳐진 이름이다. 능 안에는 고종황제와 명성황후 민씨의 홍릉이 있고, 오른쪽에는 마지막 황제 순종황제와 순명효황후 민씨, 순정효황후 윤씨가 잠들어 있는 유릉이 있다. 홍릉 안에 들어서니 재실이 가로막혀 왕릉은 보이지 않는다. 한국인의 풍수관에 따르면 음택이든 양택이든 앞이 훤히 트여야 한다. 그러나 홍살문에서 올려보든, 능침에서 내려다보든 재실이 마치 바위처럼 앞을 짓누르고 있다. 그렇지 않아도 망국의 책임에 대한 생각으로 가슴이 먹먹하던 차에 앞이 가로막힌 고종의 능 앞에서 느끼는 감정은 더욱 착잡했다.

홍릉의 묏자리와 산역山役을 맡은 사람은 전 탁지부대신이요, 합방된 조국에서 중추원 참의로 자작의 작위와 함께 10만 엔의 은사금을 받고 호강하던 고영희高永喜였다. 일본공사 하나부사 요시모토의 역관이었던 연줄로 한성판윤을 거쳐 대신의 반열에 오른 그가 택한 고종의 왕릉은 길지가 아니라 흉지일 것이라고 감여가堪興家들은 믿고 있다.

운명과 보은

오늘의 내가 여기에 있기까지 나에게 가장 영향을 끼친 것은 무엇일까? 돈일까, 능력일까? 아니면 부모를 잘 만난 덕일까? 마키아벨리의 말을 빌리면, 오늘의 내가 존재하게 된 가장 결정적인 요인은 첫째는 운명이고fortune, 둘째는 얼마나 덕망을 베풀며 살았는가이고virtue, 셋째는 역사가 부를 때 당신은 거기에 있었는가이다calling. 이 말에서 인간의 삶을 결정하는 것이 끝내 운명이었다는 말이 우리를 낙담하게 만들 수는 있지만 지나고 보면 사실이 그랬다는 생각이 든다.

김구와 고종의 관계를 서술하면서 글머리에 세상살이에서 운명의 이야기를 먼저 꺼내는 것은 결국 김구의 일생에서도 운명의 요소가 짙게 드리워 있다고 여겨지기 때문이다. 그는 치하포에서 쓰치다 요스케土田讓亮를 죽이고 사형 언도를 받았다. 절대군주정 아래에서 스물한 살의 시골 무명 청년의 목숨은 남들의 주목을 받을 수 있는 처지가 아니었다. 그런데 그것도 운명이었는지, 김구의 의거 소식이 고종의 귀에 들어간 것은 천만다행이었다. 고종은 김구의 사형을 무기징역으로 감형하였다.

또 한 가지, 인간이 살아가면서 가장 소중하게 여겨야 할 덕목은 무엇일까? 아마도 은혜를 잊지 않는 일일 것이다. 김구는 자신의 생애에서 가장 극적이었던 그 순간에 대한 기억을 버린 적이 없고 늘 고종에 대한 감사의 마음을 간직하고 살았다. 우리는 은혜를 저버리지 말라고 수없이 배웠지만 그것이 쉬운 일은 아니다. 우리는 세상살이에서 배은망덕함을 얼마나 많이 겪으며 살았던가? 젊은 날에는 먹고사느라고 허둥대다 보니 여념이 없었고, 중년에는 바빠서 겨를이 없었고, 이제 은혜를 갚고 살 만한 때가 되면 느낌과 기억도 시들기 때문이다. 김구가 고종의 홍릉을 찾은 것은 바로 그 보은의 길이었다.

비운의 왕실

한 왕조의 낙조는 애상을 느끼게 한다. 열두 살의 나이에 왕이 된다는 것이 무엇인지도 모르던 소년은 복수와 종실 부흥이라는 야망의 화신이 된 아버지 홍선대원군의 뜻에 따라 영문도 모르고 왕위에 올랐다. 척신의 발호에 진저리를 치던 대원군은 여덟 살에 부모를 잃고 고아로 자란 민치록의 딸을 왕비로 책봉한다. 이 여인이 명성황후 민씨이다. 인현왕후의 친정 7대손이요, 대원군의 처가 친족이었으니

고종황제와 명성황후가 묻힌 홍릉

자기의 며느리로 마음껏 다루는 데에는 어려움이 없다고 대원군은 판단했을 것이다.

그들이 결혼할 때인 1866년에 고종은 열다섯 살이었고, 민비는 열여섯 살이었다. 그러나 민비도 그리 녹록한 여인은 아니었다. 후궁의 아들을 후사로 삼으려는 대원군의 의중을 알았을 때 그는 이미 시아버지에 대한 미움을 품었고, 친정 오라버니가 음모 속에 폭살되었을 때 그는 이미 가슴에 칼을 품은 여인이 되었다.

그러한 정치적 암투 속에서 1895년 8월 20일(양력 10월 8일) 새벽, 민비가 일본 낭인들의 손에 시해되었다. 민비는 죽임을 당한 2년 뒤인 1897년 청량리에 안장되었다. 그해에 고종이 황제로 등극하자 민비도 명성황후明成皇后로 추증되었다. 1919년 고종이 승하하자 지금의 능에 묻혔으며 명성황후도 천장되어 고종과 합장되었다.

고종의 일생은 기구했다. 1907년에 강제 퇴위하고 3년 뒤에 망국을 겪으며 모진 목숨을 9년 더 살다가 1919년 1월 21일, 향년 67세로 눈을 감는다. 고종이 일본인들에게 독살되었다는 소문이 파다했는데 사실이든 아니든 그것이 3·1운동이 일어나는 계기가 되었다. 식민지 시대의 황제는 능호도 없이 3월 4일, 어수선한 정국 속에 황후의 능호인 홍릉에 얹혀 아내의 곁에 묻혔다.

영원의 가을바람

왕으로 즉위하지 못했기에 홍유릉의 경내에 묻히지 못하고 산 너머에 묻힌 영친왕英親王 이은과 영친왕비 이방자李方子 여사가 잠든 영원英園은 더 많은 비애를 느끼게 한다. 황태자의 몸으로 열 살의 어리광 부릴 나이에 이토 히로부미의 손에 끌려 이국땅에 볼모로 끌려간 그는 망국과 함께 세자위에서 퇴위하여 일본 국적으로 살다가 일본의 패망으로 무국적자가 되었다. 그는 황실에 대한 국민들의 향수를 꺼린 정권의 계산에 밀려 적국에서 병든 몸이 되었다. 그는 1963년에야 귀국하여 7년 동안 병상에 있다가 세상을 떠났다.

태자비인 방자方子, 마사코 여사의 아픔은 더욱 절절하다. 메이지 천황의 종손녀이니 아쉬울 것이 없는 여인이었다. 나시모토왕실梨本宮 출신인 그가 혼기에 이르렀을 때 일본 황실은 근친혼을 한다는 원칙에 따라 당시의 황태자인 동갑내기 히로히토裕仁의 태자비로 혼담이 오고 갔다. 그러나 궁정 시의의 진찰 결과 그가 불임일 수 있다는 소견에 따라 태자비의 간택이 무산되었다. 이때 일본은 그를 조선의 태자비로 간택했다. 그가 불임이라면 이 기회에 조선 황실의 대를 끊을 수 있다는 판단에서였다.

그리하여 방자 여사는 열아홉 살의 나이에 조선의 황태자 이은李垠의 태자비로 간택되어 혼례를 치렀다. 그런데 그가 곧 아들을 낳았다. 그를 검진한 두 시의는 자살했다. 더욱 불행하게도 그렇게 태어난 아들이 곧 죽었다. 그는 죽을 때 입에 거품을 물고 있었다고 한다. 방자

영친왕과 이방자 여사가 묻힌 영원

여사는 세상을 떠날 때까지 아들이 일본 사람의 흉계로 죽었다고 주장했다.

1931년에 태어난 둘째 아들 이구李玖는 미국 매사추세츠공과대학교에서 건축학을 전공하고 1958년에 우크라이나계 미국인 줄리아Julia Mullock 여사와 결혼하여 한국에 정착했다. 이구는 일본인의 혈통이 섞인 자신에게 다시 미국인의 혈통을 더할 수는 없다면서 자식을 낳지 않고 절손絶孫했다. 후손이 없는 서양 여인을 왕실의 며느리로 받아들일 수 없다는 종실의 반대로 두 사람은 1982년에 이혼하였다. 줄리아 여사는 한국의 마지막 황손으로 이 땅에서 여생을 마치고 싶었으나 현실은 그마저도 허락하지 않아 1995년에 하와이로 돌아갔다.

이구는 2006년 도쿄 아카사카 프린스호텔에서 홀로 세상을 떠났다. 남편이 죽었을 때 줄리아 여사는 장례식에 초청받지 못했으나 귀국하여 먼발치에서 남편의 운구를 바라보았다. 줄리아 여사는 1923년생으로 2017년에 세상을 떠났다. 그는 시신을 화장하여 유해를 낙선재에 뿌려 달라는 유언을 남겼으나 그마저도 이루지 못하고 남태평양의 파도 속에 묻혔다.

덕혜옹주의 묘를 지나 산모롱이를 돌면 의친왕 이강李堈과 왕비 덕인당 김수덕의 묘가 나타난다. 1919년에 대동단이 주도한 의친왕 탈출 사건 당시에 그가 수인당 김흥인을 데려가겠다고 고집을 부리고, 단원들은 그럴 수 없다고 벽제의 과수원에서 실랑이하며 귀중한 하루를 허송하다가 일행은 그 모진 종로경찰서 고등계 형사 김태석에게 잡혔다. 그들이 무사히 상하이로 망명했더라면 임시정부가 어찌 되었을까?

고종황제의 홍릉 앞에서 예식을 치른 후 찍은 기념사진

홍릉을 찾은 김구

1946년 7월 20일 토요일 오후 2시, 김구는 홍릉을 찾았다. 일행은 단출하니 비서 선우진이 수행했다.『동아일보』1946년 7월 24일 자기사는 그가 "홍릉에 행차했다"는 극존칭의 용어로써 그의 모습을 표현했다. 김구는 예식을 치른 다음 구황실 제관들과 기념 촬영을 했다. 총을 멘 호위병들이 따라다니고, 그들과 함께 사진을 찍은 모습이 이채롭다. 왼쪽의 여인은 황실의 유족인 듯한데 카메라를 바로 보지 않고 눈을 내리깐 모습이 당시의 습속을 잘 보여 주고 있다. 산역을 하는 일꾼까지 끝줄에 세워 함께 사진을 찍은 김구의 너그러움이 눈길을 끈다.

김구는 1시간 정도 머물다가 3시에 서울로 돌아왔다. 김구는 홍릉에 참배하며 무슨 생각을 했을까? 감사와 은혜, 그리고 망국에 대한 연민이 주마등처럼 흘러갔을 것이다.

이희환

경인교육대학교 기전문화연구소 연구위원

강화 잠주겸 가옥
강화 합일학교
강화 주동호 전사 가옥
인천 내리교회
인천항 공사장
인천감리서

인천감옥

1945년 12월 어렵게 귀국한 김구는 1946년 들어 삼팔선 이남의 지방을 순시하는 길에 그 첫걸음으로 '의미심장한 역사 지대'라고 표현한 인천을 방문한다. 이는 두 가지의 의미가 있는데, 개인적인 의미에서의 역사 지대라는 측면이 그 하나요, 한국의 근현대사에 있어 인천이 지닌 의미까지 보태어 중의적으로 표현한 것이 아니었을까 짐작해 본다. 개인적 측면에서 김구에게 인천은 무엇보다 "22세 때 인천감옥에서 사형 판결을 받았다가 23세 때 탈옥·도주하였고, 41세 때 17년 징역을 언도받고 인천감옥으로 들어"간 형극의 땅이었다.

그러나 형극의 인천감옥에 갇혀 있던 청년 김구는 새로운 사상을 접하면서 백범 김구로의 성장을 예비하는 경험을 인천에서 맞는다. 어떤 측면에서는 김구 개인에게 있어서뿐만 아니라 한국 근현대사에 있어서 인천은 그야말로 '의미심장한 역사 지대'라고 아니할 수 없다. 김구가 황해도 치하포에서 국모의 원수를 갚기 위해 일본인을 살해한 사건으로 인해 인천감옥으로 이감되었다는 사실 자체가, 대한제국 시기의 외세 침탈의 시대적 모순이 집결되었던 인천이라는 장소의 역사성을 보여 주는 것에 다름 아니기 때문이다. 그럼 먼저 청년 김구가 수감되어 있던 인천감옥부터 찾아가 보자.

1888년 인천감리서와 조선 가옥의 모습(샤를르 바라Charles Varat의 『조선기행』 수록)

치하포사건

　　김구는 그의 나이 21세 때인 1896년 3월 9일 새벽, 황해도 안악군 치하포에서 국모 민비 시해 사건에 대한 복수심으로 일본인 쓰치다를 살해한다. 당시 김구는 청나라의 도움을 받아 장연군 산포에서 거사를 모색하다 실패하고 도피 중으로 다시 청나라로 갈 예정이었다. 안악군 치하포에서 한복으로 위장했지만 일본도를 찬 수상한 일본인을 목격하고 김구는 일본인에 의해 국모가 시해된 데에 대한 울분으로 격투 끝에 쓰치다를 살해하고 자신이 한 일이라는 방을 써 붙이고 집으로 돌아갔다. 이름하여 '치하포사건'이다.

　　이 사건이 일어난 치하포 관할 지방 부서인 해주부에서 사건을 심문하는 것이 당연하였으나, 7월 중순 이후 일본영사관이 개입하기 시작했다. 인천 일본영사관의 하기와라 사무대리가 치하포사건을 중대 사건으로 규정하고, 본인의 재판 입회를 위해 김창수(김구) 등 관련인을 인천에서 재판하도록 조선 정부에 요구하였다. "치하포사건은 외국인의 생명과 관계되는 사건이라 인천감리서에서 심문하는 것이 마땅하다"고 인천항재판소에 조회하였고, 결국 일본의 강력한 요구로 인천관찰부 순검과 인천항 일본영사관 경찰서 순사가 동행하여 김구를 인천으로 압송하였다.

인천감리서 감옥

　김구는 인천감리서와 인천 일본영사관 순검들에 이끌려 연안읍에서 하룻밤을 잔 후 나진포에서 배를 타고 강화도 해협을 지나 인천 제물포에 당도하였다. 음력 7월 7일, 양력으로는 8월 15일경이었다. 초저녁 상현달이 떴다 지고 난 캄캄한 밤에 강화를 거쳐 인천감옥으로 왔던 것이다. 김구는 해주옥을 나와 인천옥으로 향하는 길에 효자 이창매의 묘비를 보며, 자신을 따라 인천으로 향하는 어머니에 대한 죄스러운 마음을 토로하기도 하고, 인천감옥에 들어가면 왜놈들이 죽일 터이니, 바닷물에 함께 투신해 죽어서 귀신이라도 모자가 함께 다니자는 어머니 곽낙원 여사의 애절한 말에도 "자식이 국가를 위하여 하늘에 사무치게 정성을 다하여 원수를 죽였으니, 하늘이 도우실 테지요. 분명히 죽지 않습니다"라고 어머니와 스스로를 달래면서 미지의 인천감리서 감옥에 당도하였던 것이다.

　여기서 김구가 이감되어 투옥된 인천감리서에 대해 살펴보자. 개항 초기까지도 근대적인 외교와 통상에 어두웠던 조선 정부에서는 이에 대해 속수무책이었다가 인천이 개항될 무렵에야 이에 대한 제도적인 준비를 서둘렀다. 그렇게 하여 마련된 것이 감리서의 설치와 해관(海關, 오늘날의 세관)의 창설이다. 감리서는 개항장에 설치되어 대외통상관계의 업무를 처리하던 기관으로 1883년 9월에 부산·원산·인천 세 곳에 처음 설치되었다.

　감리서는 외국 영사와의 여러 가지 교섭권을 가지고 개항장에 거류하는 외국인과 내국인 간에 일어나는 분쟁을 해결하며, 개항장 내의 치안을 유지하는 것을 주 업무로 삼고 있었으며 이를 위해서 항구에 경무관을 두었다. 그리고 감리의 직무 집행에 있어서는 관찰사와 대등한 지위를 부여하였고, 주변의 부윤·군수·경찰서장을 훈련하고 지령할 수 있는 권한을 부여하고 있었다.

한편 인천 개항장의 통사 사무와 일반 행정까지 담당하는 감리서의 설치와 더불어 갑오개혁 이후 사법기관도 속속 설치되었다. 인천의 감리서와 재판소는 개항장이라는 특수성을 반영하여 감리서의 감리가 재판소의 판사를 겸하고 있었다. 이러한 사정으로 경찰과 치안 업무를 담당하는 경무청과 그 부속기관인 감옥 등이 감리서·재판소와 함께 한자리에 자리하게 되었다. 김구가 인천감리서 감옥으로 이감될 시기는 인천항재판소가 체제를 갖추고 본격적인 재판 업무를 시작할 때였다.

김구가 포박당한 채로 당도했던 인천항에서 인천감리서는 걸어서 불과 10분 내외의 거리에 위치했다. 현 파라다이스호텔이 위치한 인천항 부교는 주로 일본인들이 이용하였고, 지금의 인천여상 자리 왼쪽 어름에서 조선인들이 주로 이용하는 부두가 있었는데 1890년대 후반까지도 주로 이용되었다. 그 부두에 내리면 현재의 자유공원이 자리한 응봉산 언덕 내리 마루턱에 자리 잡은 인천감리서가 손에 잡힐 듯 보였을 것이다.

김구는 훗날 인천감리서 감옥의 모습을 『백범일지』에 소상히 기록했다. 내리 마루턱에 감리서가 있고, 왼편에는 경무청이 있으며 오른편에는 순검청이 있었다고 기록하였다. 감옥 주위로 담장을 높이 쌓아 올렸고 담 안에는 평옥平屋 몇 칸이 있는데, 그 방들을 반으로 나누어서 한편에는 미결수와 강도·절도·살인 등 죄인을 수용하고, 나머지 반쪽에는 민사 소송범과 경범 위반 등 이른바 잡범을 수용하고 있었다고 기억했다. 형사 피고의 기결수에게는 청색 옷을 입혔고, 웃옷 등쪽에 강도·절도·살인 등의 죄명을 먹으로 써 놓았으며 감옥 바깥으로 일하러 나갈 때에는 좌우 어깨와 팔꿈치를 아울러 쇠사슬로 동이고, 2인 1조로 등 뒤에 자물쇠를 채워 간수가 인솔하고 다녔다는 것이다.

　김구가 묘사한 인천감리서 감옥의 모습은 매우 사실적이다. 오늘날의 인천 자유공원이 위치한 응봉산의 바다와 면한 서사면의 초가집들 위로 인천감리서가 인천개항장 전체를 굽어보듯이 자리하고 있었다.

1894년경의 인천감리서 모습(대한성공회 선교 잡지 *Morning Calm* 수록 사진)

제물포 포구의 바닷가 갯벌과 면한 초가집들 사이로 길이 나 있고, 그 길을 따라 올라가다 보면 인천감리서의 외아문과 만나게 된다. 감리서 앞으로는 제물포 포구에서 한양으로 올라가는 육로인 경인가로가 가로놓여 지나고 있었다.

인천감리서 감옥은 1884년 8월경 인천감리서가 내동에 세워질 당시에 같이 만들어졌다. 이후 인천에서 일어나는 각종 사건에 연루된 범죄자는 물론 타 지역에서 일어난 외국인과 관련한 사건에 연루된 사람들이 이곳에 수감되었다. 황해도 치하포에서 일본인을 살해한 김구가 이곳에 투옥된 것도 당시 인천에는 개항장 재판소가 있었기 때문이다.

세 차례의 신문과 사형 판결

이곳에서 김구는 2년간 옥살이를 하며 인천항재판소에서 세 차례 신문을 받았다. 1896년 8월 31일과 9월 5일, 9월 10일 각각 오늘날 재판과 같은 신문이 진행되었다. 그런데 이 신문은 인천항재판소 관계자뿐만 아니라 일본 영사관 관계자가 배석하는 일종의 합동 신문 방식으로 진행되었다. 김구는 『백범일지』에 당시 재판 상황을 소상하게 기록하고 있는데, 재판을 주재한 인물을 윤치호의 장인인 경무관 김윤정이라고 기록하고 있으나, 공초문에 의하면 인천항의 경무관은 김순근이었다. 재판정에 나선 일본인 배석자도 『백범일지』에는 와타나베라고 기록했지만, 일본영사관 경부인 가미야 기요시가 실제로 배석한 인물이다. 인천항재판소에서 재판을 받기 직전, 김구는 장티푸스에 걸려 극심한 고통을 겪었다. 그 고통을 이기지 못해 스스로 목숨을 끊으려고 시도했다가 겨우 살아난 만신창이 상태로 간수의 등에 업혀 경무청으로 들어갔다.

인천항 전체에 큰 파장을 몰고 온 김구에 대한 신문 내용은 『백범일지』에 매우 드라마틱하게 기록되어 있다. 1896년의 인천감리서 경무청에서 열린 첫 신문이 그만큼 김구 자신에게도 잊을 수 없는 장면이었을 것이다. 1929년 『백범일지』 상권에서는 이 재판정에서 김구가 조선인 관리를 통렬하게 꾸짖는 기개를 보여 주었다. 제2차 신문도 옥문밖의 경무청에서 진행됐는데, 첫 번째 재판 소식이 알려져 "길에는 사람이 가득 찼고 경무청 안에는 각 관청의 관리와 항구의 유력자들이 다 모인 모양이었다. 담장 꼭대기와 지붕 위까지 경무청 뜰이 보이는 곳은 어디나 사람들이 다 올라가 있었다"고 『백범일지』에서 묘사하였다. 김구는 세 번째 신문은 감리서에서 했다고 기록했는데, 이재정이 친히 신문을 하고 왜놈은 보이지 않았는데, 신문서 꾸민 것을 보고 고치게 한 후 서명을 해서 신문을 마쳤다고 했다.

5일 간격으로 세 차례 열린 신문에서 김구는 사건의 동기를 당당하게 을미사변에 대한 복수 의거라고 밝히고, 실제로 자신이 사건 직후 '의병좌통령義兵左統領'이라는 직첩을 보여 주고 청군의 원병이 곧 쳐들어올 것이라고 밝히기도 했다. 치하포사건 당시 동행인들이 있었으나 '국모지수國母之讐'를 위해 쓰치다를 발로 차 쓰러뜨리고 쓰치다가 칼을 뽑아 달려들 때 돌로 쳐 넘어뜨리고 칼을 빼앗아 살해한 것은 자신이

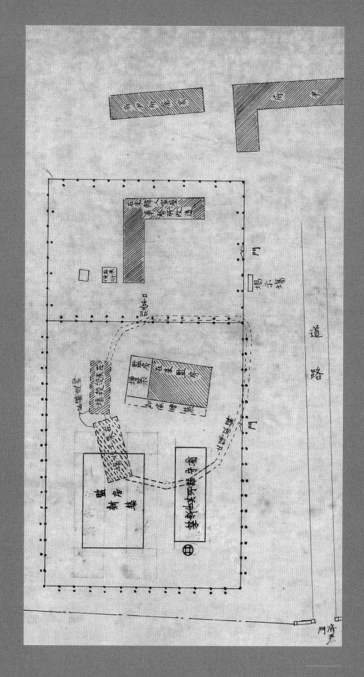

경성감옥 인천분감 도면 (손장원 논문, 107쪽)

주도한 것이었다고 밝혔다. 이재정 인천감리 겸 인천항재판소 판사와 가미야 기요시 일본영사관 경부의 서명이 같이 들어가 있는 공초가 말해 주듯, 인천항재판소에서의 신문은 일본영사관의 조직적 개입 아래 진행되었다.

세 번째 신문이 끝나자마자 일본영사관의 영사대리 하기와라는 김창수(김구)를 "대명률 인명모살인조에 의해 참으로 처단하는 것이 가하다"는 의견을 인천항재판소를 통해 법부에 올리게 하였다. 인천항재판소의 보고가 법부에 올라가자 『독립신문』 1896년 9월 22일 자에 보도되었다.

> 구월 십육일 인천감리 이재정 씨가 법부에 보고하였는데 해주 김창수가 안악군 치하포에서 일본 장사 토전양랑을 때려 죽여 강물 속에 던지고 환도와 은전 많이 뺐었기로 잡아서 공초를 받아 올리니 죄률 처판하여 달라고 하였더라. (『독립신문』 잡보 1896. 9. 22.)

10월 2일 인천감리서는 일본 공사관의 재촉 때문에 김창수에 대한 조속한 판결을 법부에 전보로 요청했다. 이에 대해 법부는 당일 답전으로 김창수 건은 '왕이 결정한 사항'이라며 유보했다. 『백범일지』에서 인천까지의 전화 가설 공사가 완공된 지 3일째 되는 병신년 8월 26일 대군주께서 친히 전화를 해서 김창수의 사형을 정지하라는 친칙親勅을 내렸다는 유명한 이야기는 사실이 아니다. 실제로는 전화가 아니라 전보로 연락이 온 것이고, 고종이 한 것이 아니라 법부가 전보의 답장을 보낸 것이며, 내용도 '사형을 중지시킨 것'이 아니라 '고종의 재가를 명분으로 사형 판결을 지연시킨 것'이었다.

> 그전 인천항재판소에서 잡은 강도 김창수는 자칭 좌통영이라 하고 일상 토전양량을 때려 죽여 강에 던지고 재물을 탈취한 죄로 교에 처하기로 하고 … (『독립신문』 잡보 1896. 11. 7.)

   그러나 법부에서는 10월 23일 재차 김창수의 사형을 왕에게 상주 안건으로 건의하였다. 1896년 11월 7일 자 『독립신문』에는 이 상주 안건의 내용이 위와 같이 보도되었다. 그러나 법부의 건의에도 불구하고 고종은 양형에 대한 재가를 하지 않아 김창수의 최종형은 확정되지 않았고, 특이하게도 그는 법적으로 '미결수'로 감옥 생활을 시작하게 되었다.

인천감옥 탈옥길

세
상
속
으
로
숨
어
들
다

김창수에 대한 특이한 재판은 당시 인천 지역사회에 알려지면서 커다란 반향을 불러일으켰다. 김구도 『백범일지』에서 "인천항은 우리나라에서 제일 먼저 개항된 곳이었으므로, 구미 각국에서 들어온 거주자와 여행자 들이 있었고 각 종교당도 설립되어 있었다. 우리나라 사람 중에서도 간혹 외국으로 장사하러 나가 다니면서 신문화의 취미를 아는 자가 약간 있던 때였다"라고 기술하고 있듯이, 당시 인천은 조선에서 부산·원산과 함께 개항한 항구도시이자, 일본전관조계, 청국전관조계, 각국공동조계가 나란히 설치된 조선의 국제 항구였다. 이미 인천개항장에는 신문·은행·극장 등의 근대적인 기제들이 작동하고 있

인천감리서 앞 신포동 닭전거리의 모습 (*Outing Magazine*, Vol. XLIII, 1904)

었고, 일본의 침탈에 맞서 구국계몽운동도 일어나고 있었다. 1890년대 말부터 인천에서는 근대 교육과 계몽사상에 대한 관심이 두드러지게 형성되기 시작하였다. 특히 1896년 7월 설립된 독립협회의 영향 아래 인천에서도 활발한 신교육열과 지식열이 확산되고 있었다. 인천에서는 1898년 6월 독립협회의 인천지부로 인천박문협회仁川博文協會가 설립되어 구국계몽단체로 활동했는데, 아직 학계에서는 큰 주목을 받지 못하고 있다.

학교가 된 감리서 감옥

　인천 개항장의 이러한 시대적 분위기는 인천감리서 감옥에 갇혀 있던 김구에게도 영향을 미쳤다. 김구는 신서적 탐독을 통해 사상적 전환을 이루었을 뿐만 아니라 죄수들에게 문자를 가르쳐 주는 교육을 실시하고, 또 죄수들의 억울한 송사를 자세히 듣고 소장訴狀을 써 주거나 죄수들과 어울려 노래를 부르는 일로 일상을 보냈다. 그런 일상 가운데 열에 아홉은 문맹인 죄수들에게 문자를 가르쳐 준 것은 그 당시 『독립신문』에 아래와 같이 보도되기도 하였다.

> 인천항 감옥서 죄수 중에 해주 김창수는 나이 이십 세라. 일본 사람과 상관된 일이 있어 갇힌 지가 지금 삼 년인데 옥 속에서 주야로 학문을 독실히 하며 또한 다른 죄인들 권면하여 공부들을 시켰는데 그중에 양봉구는 공부가 거의 성가가 되고 그 외 여러 죄인들도 김창수와 양봉구를 본받아 학문 공부를 근실히 하니 감옥 순검의 말이 인천감옥서는 옥이 아니요 인천감리서 학교라고들 한다니 인천항 경무관과 총순은 죄수들을 우례로 대지하여 학문을 힘쓰게 하는 그 개명한 마음을 우리는 깊이 치사하노라. (『독립신문』 외방통신 1898. 2. 15.)

　김구 스스로 학문에 힘쓰는 한편 다른 죄인들에게 권면하여 공부를 시켰던 덕분에 인천감리서 감옥은 옥이 아니라 학교라고들 칭했다는 것이다. 청년 김창수의 인천감옥에서의 활동은 이후 그의 구국 활동의 씨앗이 된다. 2년여를 감옥에 갇혀 있던 김구는 사형 날짜가 잡히자 이를 초연히 기다리다가 그대로 죽느니보다 탈옥하여 자기 뜻을 펴기로 마음먹고 1898년 3월 21일 새벽을 틈타 조덕근을 비롯한 다른 죄수 4인과 함께 인천감옥을 탈옥한다.

김구가 인천감리서 감옥을 탈옥한 것은 1898년 3월이었다. 지금으로부터 120여 년 전의 일이다. 세월이 많이 흘렀듯이 인천감리서와 감옥의 흔적은 찾을 수 없다. 아파트와 단독주택들이 언덕 위로 빼곡하게 들어선 그곳에서 감리서 터를 찾기란 쉽지 않다. 다만, 그곳이 감리서가 있던 자리라는 표지석과 안내판이 아파트 앞에 덩그러니 놓여 있을 뿐이다.

감리서 건물은 법원 건물로 오랫동안 사용되었다. 1972년 감리서 자리에 위치했던 법원과 검찰청은 남구 주안동 석바위로 옮겨 가고, 현재는 신포스카이타워아파트가 세워져 감리서의 흔적은 찾을 수 없다.

박영문 객줏집

감리서가 있던 곳의 오른쪽에는 지금도 작은 골목이 남아 있는데, 아들의 옥바라지를 위해 인천으로 올라와 식모살이로 허드렛일을 하며 아들의 끼니를 챙기던 어머니 곽낙원 여사가 일하던 박영문 객줏집 골목을 만나게 된다. 김구가 인천감리서 감옥에 갇힐 때, 옥문 앞까지 따라온 곽낙원 여사는 이후 이 골목에 위치한 개성 사람 박영문 객

감리서 건물 주춧돌의 일부

감리서 터 표지석과 안내판

줏집에 들어가서 밥 짓고 옷 만드는 일 등을 하면서 기거하는 한편, 하루 세 끼의 식사를 마련해 김구를 옥바라지했던 곳이다.

박영문 객줏집과 마주 바라보는 집에는 역시 인천항 물상객주인 안호연의 집이 있었다. 이 객줏집 골목에서 내동 쪽으로 쭉 나가면 바로 인천감리서가 나온다. 이 골목에는 인천의 마지막 보부상이 살던 집이 쇠락한 대로 남아 있고, '월아천'이라는 음식점 간판을 단 객줏집도 원형을 겨우 간직한 채로 남아 있다. 또 골목을 벗어나 멀지 않은 곳에는 우리나라 최초의 도선사 유항렬의 붉은 벽돌조 건물이 그대로 남아 있기도 하다.

박영문 객주에 대해서 김구는 『백범일지』에 여러 차례 고마움을 표현했다. 1913년 인천감옥에 두 번째 투옥되어 축항 공사장으로 노역을 나가는 길에 왼편 첫 집이 박영문 물상객주 집이라며 "17년 전에 부모 양위께서 그 집에 계실 때, 박 씨가 후덕한 사람인 데다 나를 사랑하여 물심양면으로 도와주고, 아버님과 동갑이시므로 친밀히 지냈"다고 회고하면서 "내 은인이요, 아울러 아버님과 동갑이신 노인에게 곧 가서 절"하고 싶다고 토로하기도 했다. 김구는 상하이에서 임시정부 활동을 하는 와중에 『백범일지』 상권의 집필을 마감하면서도, 인천의 소식을 탐문하고 각별히 박영문의 소식을 물었건만 이미 별세했다는 소식을 들었다고 기록하고 있다.

박영문 객주는 실제로 인천항의 유력한 물상객주로 당시 신문에 여러 차례 소개되었다. 『황성신문』 1903년 5월 28~29일 자에는, 인천감옥에 4년간 갇혀 있던 정해인이라는 광주 사람이 박영문을 칭송하는 광고가 실렸다. 당시 인천감리서 감옥은 죄수들이 노역을 해서 벌어야 만 식사를 해결할 수 있는데, 박영문이 죄수들을 특별히 위하고 보기 를 청하여 매일 음식과 술로 구휼을 해 주어 사경을 헤매던 죄수들이 온전히 살아갈 수 있도록 해 준 것에 대해 우러러 칭송한다는 내용의 광고이다. 아마도 객주 박영문이 청년 김구와 곽낙원 여사와의 인연을 시작으로 김구와 함께했던 인천감옥의 죄수들에 대한 배려를 지속했 던 것이 아닐까 추정해 본다.

탈옥

김구는 참형을 모면한 미결수 상태로 양친의 옥바라지와 탄원 속에서 시간을 보냈다. 강화 사람 김주경과 부모님이 법부에 석방 탄 원을 냈지만 끝내 좌절되자 김구는 탈옥을 생각한다. 그리고 김주경이 보낸 탈옥을 권하는 시를 받아 보고는 그동안 자신을 위해 애써 준 것 에 감사함을 표현하는 동시에 "구차스럽게 사는 것을 위해 생명보다 중한 광명을 버릴 수 없으니 우려치 말라"는 내용으로 회신을 보냈다. 김구의 부친이 법부에 올린 소송 문건 전부를 가지고 강화의 이건창李 建昌에게 가서 보여 주고 방책을 물었으나 이건창도 탄식만 하고 별 방 법을 제시하지 못했다고 『백범일지』에 기록하고 있다. 그 진위 여부 는 확인할 수 없으나 이것도 탈옥에 대한 결심을 굳히는 데 영향을 주 었을 것이다. 급기야 장기수인 조덕근이 눈물을 흘리며 옥살이 속에서 배운들 무슨 소용이냐며 탈옥을 은근히 권하자 김구는 심사숙고 끝에 탈옥을 결심한다. "나를 죽이려 애쓰는 놈은 왜구들뿐인데, 내가 그놈들을 즐겁게 하기 위해 옥에서 죽는다는 것은 아무 의미가 없지 않겠는가?"라고 되뇌며 김구는 조덕근과 양봉구, 김백석 등과 함께 1898년 3월 19일 옥실 마루 밑 땅을 파고 빠져나가 감옥 담을 넘어서 감리서 삼문을 통과해 탈옥에 성공한다. 그렇다면 김구는 어떤 길을 택해 서울까지 탈출했을까?

> 탄탄대로로 나왔다. 봄날인데 밤안개가 자욱한 데다가 연전에 서울 구경하고 인천을 지나가 본 적은 있으나 길이 생소하였다. 어디가 어디인지 지적을 분간 못할 캄캄한 밤에 밤새도록 해변 모래밭을 헤매다 동쪽 하늘이 훤할 때에야 비로소 살펴보니 감리서 뒤쪽 용동 마루터기에 당도해 있었다. 수십 걸음 밖에서 순검 한 사람이 벌써 군도를 절그럭절그럭거리며 달려왔다. 또 죽었구나 하고 은신할 곳을 찾았다. 서울이나 인천의 길거리 상점에는 방문 밖에 아궁이를 내고 방문 앞에는 아궁이를 가릴 긴 판자 한 개를 놓고 거기에다 신을 벗고 점방 출입을 하게 되어 있다. 선뜻 그 판자 밑에 들어가 누웠다. 순검의 흔들리는 환도집이 내 코끝을 스치는 것같이 지나갔다.
> 나는 얼른 몸을 일으켰다. 하늘이 밝아 오고 천주교당의 뾰죽집이 보였다. 그곳이 동쪽이라고 짐작하고 걸어갔다. (『백범일지』 133쪽)

김구가 인천감리서를 탈옥하여 서울 양화진으로 올라가기까지의

탈출 경로를 찾아가 보았다. 오른쪽 그림은 현재의 신포스카이타워 아파트 자리에 위치했던 인천감리서를 탈출한 김구가 탈출했던 길을 『백범일지』에 기록된 내용 그대로 1895년 제작된 인천 지도에 표시해 본 것이다. 김구는 어두운 밤 일행과 함께 탈출했으나 바로 흩어져서 밤안개가 자욱한 캄캄한 인천 시가지를 순검들의 눈을 피해 밤새도록 걸어 해변 모래밭까지 가서 헤매었다고 했다. 아마도 성공회 내동교회 옆 샛길을 거쳐 중국인 묘지가 있던 지금의 인현동 언덕길을 내려가 바닷가에 당도했을 것이다.

지금은 모두 매립되어 육지로 변해 있지만, 지도를 보면 김구가 밤새도록 헤매던 해변 모래밭이란 내동 개항장에서 자유공원이 위치한 응봉산 반대편으로 깊이 들어온 해안 지대였을 것으로 추정된다. 현재 인천 국철 1호선 동인천역 일대는 섭도포라는 포구가 길게 들어오는 바닷가였다. 김구는 밤새도록 해변과 시가지를 헤매었지만 "동쪽 하늘이 훤할 때에야 비로소 살펴보니 감리서 뒤쪽 용동 마루터기에 당도"했다고 했다. 그런데 용동 마루터기는 인천감리서로부터 불과 500미터 남짓 떨어진 곳에 위치해 있다. 밤새도록 인천에서 벗어나지 못하고 있었던 것이다. 곧 날이 밝아 오면서 "천주교당의 뾰죽집이 보였다"고 했는데, 이 천주교당은 용동 마루터기에서 내려다보이는 천주교 제물포본당을 본 것이다.

내처 남쪽인 화개동을 향해 걷다가 한 일꾼의 안내로 후미진 소로를 따라 화개동 마루터기에 다다랐는데, 화개동 마루터기는 오늘날 인천 중구 신흥동 언덕으로 해광사라는 절이 있는 부근으로 추정된다. 그곳

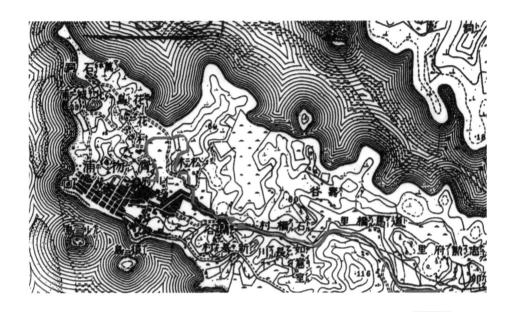

김구의 탈출로 (1:50,000)

에서 그 사람은 수원으로 가는 길과 시흥을 거쳐 서울로 가는 길을 가
르쳐 주었는데, 김구는 한낮을 피해 숨어 있다가 해 질 녘에 시흥 방면
으로 향해 가다 어느 동네의 디딜방앗간에서 하룻밤을 자고 새벽에 일
어나 벼리고개를 넘어 부평을 거쳐 그날로 양화진 나루에 도착하였다.

인천항 공사장

쇠사슬로 허리를 매고
흙 지게를 등에 지고

경술국치 이후인 1910년 11월 김구는 독립운동가 안명근이 서
간도에 무관학교를 설립하려고 자금을 모으다 관련 인사 160
명과 함께 검거되었다. 이른바 '안악사건'이다. 악명 높은 서대
문형무소에 갇혀 모진 고문을 받으면서 김구는 불화를 겪었던
일본인 제2과장에 의해 고역이 극심한 인천항 공사 노역에 동
원되는 인천감옥으로 이감되었다.

잔여 형기가 2년도 채 남지 않은 상태에서 서대문형무소에서
옥살이를 하다 철사로 허리가 묶여 인천감옥으로 끌려간 것이
1914년이었다. 17년 전인 1898년 미결수의 신분으로 인천감
옥 옥문을 나섰던 청년 김창수가 백범 김구가 되어 다시 인천

감옥에 갇혔으니 감회가 남다를 수밖에 없었을 것이다.

떨어져 죽을 결심을 하고

이때의 감회를 김구는 다음과 같이 인상적으로 『백범일지』에 기록하였다.

무술년(戊戌年, 1898년) 3월 9일 한밤중에 옥을 깨뜨리고 도주한 이 몸이, 17년 후에 철사에 묶여서 다시 이곳에 올 줄 누가 알았으랴. 옥문 안에 들어서며 살펴보니 새로운 감방을 증축하였으나, 옛날에 내가 글 읽던 방과 산보하던 뜰은 그대로 있었다. 호랑이같이 와타나베 놈을 통렬히 규탄하던 경무청은 매춘녀의 검사소로, 감리사가 집무하던 내 원당은 감옥 창고가 되었고, 옛날 순검, 주사들이 들끓던 곳은 왜놈의 세상으로 변해 버렸다.

마치 사람이 죽었다가 몇십 년 후에 다시 살아나서, 자기가 놀던 고향에 와서 보는 듯하다. 감옥 뒷담 너머 용동 마루턱에서 옥중에 갇힌 불효자식인 나를 보시느라고 날마다 우두커니 서서 내려다보시던 선친의 얼굴이 보이는 것 같다. 그러나 세상이 바뀌고 시대가 변한 탓으로 지금의 김구를 옛날 김창수로 알 자는 없을 것이라고 생각했다.(『백범일지』 268쪽)

새로운 감방이 증축된 것을 제외하고 인천감옥의 외양은 거의 그대로였다. "마치 사람이 죽었다가 몇십 년 후에 다시 살아나서, 자기가 놀던 고향에 와서 보는 듯하다"고 회고하였듯이, 인천감옥은 김구를 만든 원형질 같은 공간이었을 터이다. 그러나 그 사이 나라를 기어코 일본 제국주의에 빼앗기고 식민지의 무단통치 아래 독립운동을 해야 하는 시대로 바뀌었다. 청년 김창수는 어느덧 온갖 고난을 겪으면서 백범 김구가 되어 민족독립운동에 나설 수밖에 없는 절박한 상황 속에서 다시 인천감옥에 갇히게 되었던 것이다.

　　인천감옥에 갇혀 있으면서 김구는 인천항 공사장에 끌려가 강제 노역에 시달려야 했다. 얼마나 힘들면 김구는 "아침저녁 쇠사슬로 허리를 매고 인천항 공사장으로 출역을 간다. 흙 지게를 등에 지고 10여 장의 높은 사다리를 밟고 오르내린다. 여기서 서대문감옥 생활을 회고하면 속담에 '누워서 팥떡 먹기'라. 불과 반나절에 어깨가 붓고, 등창이 나고, 발이 부어서, 운신을 못 하게 되었다"고 회고했다. "무거운 짐을 지고 사다리로 올라갈 때, 여러 번 떨어져 죽을 결심을 하였다"고도 하였다. 얼마나 노역이 힘들었는지 미루어 짐작할 수 있다. 그러나 김구는 같이 쇠사슬을 마주 맨 두세 달 징역 사는 수인들 생각에 떨어져 죽고 싶은 마음을 돌려 노역에 잔꾀를 부리지 않고 죽을힘을 다하며 고통을 참았다고 회고하였다. 인천항 공사장에 동원되어 일본인 간수들의 감시하에 고된 노역을 하는 수인들의 모습을 담은 사진으로 그때의 상황을 추정하게 된다.

인천항 공사장에 노역으로 동원된 죄수들의 모습

피와 땀에 젖은 노역의 현장

1883년 개항한 이래 조선의 해문 요충이 된 인천항은 깊은 수심의 항로가 있다고는 하나 조수 간만의 차가 커서 무시로 큰 배가 드나들기에 불편함이 적지 않았다. 이에 따라 서구 열강들에 의해 개항 직후부터 인천항의 정비가 추진되었다. 1884년 9월에 인천해관의 러시아인 토목 기사에 의해 해관 전면에 석축을 쌓고 만조 시에도 이용할 수 있는 선착장과 승강장을 만드는 공사가 1년여의 기간 동안 진행되어 첫 완공을 보았다. 그렇지만 인천항은 큰 배가 드나들기에는 불편함이 여전하였다. 그리하여 1893년에는 영국인 기사 챔버스의 설계에 따라 해관 앞 바다를 매축하는 동시에 돌제를 쌓았고 소월미도와 팔미도에 등대를 설치하였다. 이를 통해 인천항은 어느 정도 국제항으로서 그 숨통을 틀 수 있었다.

러일전쟁이 끝난 뒤부터 출입 선박이 갑자기 증가하여 인천항의 시설 확충이 시급한 과제로 다시 대두되었다. 통감부를 설치하여 조선에 대한 독점적 패권을 확보한 일본은 1906년을 시작으로 십수 년에 걸쳐 본격적인 인천항 공사를 대규모로 전개하였다. 그러한 공사 가운데 조수 간만의 차가 심한 인천항의 자연조건을 근본적으로 개선하고자 추진된 것이 갑문식 선거이다. 일제는 1911년 6월 현재의 인천 내항 1부두 자리에 국내 처음으로 본격적인 인공 항만의 축조와 선거 설비 공사에 착수하였다. 조수 간만의 차와는 관계없이 선박의 입출항과 접안 및 하역이 가능한 2중 갑문식 갑거dock를 축조하기 시작한 것인데 공사는 7년여 만인 1918년 10월에 끝이 났다. 최초의 근대적 갑문식 전천후 항만 시설인 제1선거가 이렇게 건설된 것인데, 김구가 극심한 고통을 겪으면서 노역에 동원된 곳이 바로 이 제1선거 공사장이었다.

294쪽 위의 사진은 오늘날의 인천 내항 전체 모습을 보여 주는 항공사진이다. 오른쪽 파란색으로 표시한 지역이 제1선거 지역이고 그 위쪽에 붉은색으로 표시한 지역이 내항 재개발사업이 우선적으로 추진되고 있는 제8부두 지역이다. 김구가 강제 노역을 했던 인천항 공사장은 제1선거 지역인데, 오늘날 인천 중구 해안동에 위치한 중동우체국 뒤편 삼거리 일대로 인천항 국제여객터미널 주변 지역으로 추정된다. 이곳에는 몇 년 전부터 일본의 의류 기업이 지점을 내고 영업을 하고 있다. 김구가 민족운동의 와중에 끌려와 강제 노역을 했던 가슴 아픈 역사의 현장에 일본 기업의 영업점이 들어서 있다니, 역사의 아이러니가 아닐 수 없다.

또 한편, 내항 재개발이 추진되고 있는 제8부두가 해양 친수 공간으로 시민에게 개방되면 이곳에 김구의 동상을 건립하자는 인천 시민사회의 의견이 개진되고 있기도 하다. 그 어느 곳보다 강제 노역을 했던 인천항 공사장이 김구에게는 각별한 공간이었다는 점은 해방 이후 인천을 처음 찾은 김구의 술회에서 역력히 느껴지기 때문이다.

그럭저럭 민국 28년(1946년)을 맞이하자 나는 38선 이남 지방 순회를 시작하였다. 제1차로 인천을 순시하였는데, 인천은 의미심장한 역사 지대라 할 수 있다. 전술한 바를 대강 다시 음미하게 된다. 22세 때 인

인천 내항 항공사진 (인천시 지도 포털)

김구가 노역을 했던 인천항 공사장의 최근 모습

천감옥에서 사형을 받았다가 23세 때 탈옥·도주하였고, 41세 때 17년 징역을 언도받고 인천감옥으로 들어가니 말 없는 감옥도 나를 아는 듯, 내가 있던 자리를 옛날 그대로 나를 맞아 주었다. 그러나 17년 전 김창수는 김구로 이름을 바꾸었고, 세월 또한 오래 흐른 관계로 아는 사람은 별로 없었다. 구속된 몸으로 징역 공사한 곳이 축항 공사장이었다. 그 항구를 바라보니 나의 피와 땀이 젖은 듯하고, 면회차 부모님이 내왕하시던 길에는 눈물 흔적이 남아 있는 듯 49년 전 옛날 기억도 새로워 감개무량하였다. 지난 일에 대한 감회를 금할 수 없는 인천 순시는 대환영리에 마쳤다. (『백범일지』 410~411쪽)

1946년을 맞아 삼팔선 이남 지방 순회의 첫 방문지로 인천을 선택하면서, 김구는 인천을 일컬어 '의미심장한 역사 지대'라고 명명했다. 인천이 김구에게 그렇게 다가오는 장소로 각인되는 장소성을 갖는 곳 중의 하나가 인천감옥이라면, 두 번째 투옥되어 강제 노역을 했던 인천항 공사장은 '피와 땀이 젖은' 감개무량한 또 하나의 각별한 공간이기 때문이다. 현재 김구와 곽낙원 여사의 동상이 세워져 있는 인천대공원은 사실 김구와는 아무런 인연이 없는 장소이다. 해양수산부가 용역을 시행해 추진하고 있는 인천 내항 재개발사업이 장차 8부두에서 1부두까지 확장될 때, 반드시 인천대공원에 있는 김구와 곽낙원 여사의 동상을, 김구가 강제 노역을 했던 1선거 자리로 옮겨 와 건립하는 것이야말로 인천에서 김구의 발자취를 제대로 기리는 일이 될 것이다.

인천 내리교회

1945년 8월 15일, 김구가 꿈에도 그리던 조국의 광복이 찾아왔다. 대한민국의 광복을 위해 1919년 4월 13일 상하이에서 대한민국임시정부를 수립하고 1932년부터 1940년까지 고난의 이동을 거쳐 1945년 조국 광복에 이르기까지 망명정부를 이끌었던 임시정부의 주석은 조국의 해방이 이루어진 지 두 달이 넘어서야 겨우 개인 자격으로 입국할 수 있었다. 1945년 11월 23일 고국을 떠난 지 27년 만에 다시 고국의 땅을 밟고 숙소인 경교장에 도착하는 즉시, 윤봉길, 이봉창 의사의 유가족과 인천 시대의 의인이었던 김주경의 유가족을 찾노라며 신문에 보도하면서 조국에서의 정치 활동을 시작하였다.

귀국 후의 활동을 재개하려던 김구에게는 커다란 슬픔이 하나 있었으니, "친척과 헤어지고 묘소를 버리고 고향을 떠난 지 27년. 고국에 돌아왔으나 그리운 출생지인 고향은 소위 삼팔선 장벽 때문에 돌아가 보지도 못"는 설움이었다. 김구는 임시정부와 자신을 환영하는 국내 동포들과의 만남으로 1945년을 보내고, 1946년 봄을 맞아 4월 14일 인천으로부터 삼팔선 이남 지방 순회를 시작했다. 조국 광복 이후의 서울 중심의 정치활동을 전개하면서 김구가 고향인 해주를 가지 못하는 상황에서 가장 먼저 찾고 싶었던 곳이 인천이었다는 것이다. 1946년 4월 14일 인천 시찰 첫날 김구는 인천의 가장 오래된 감리교회인 내리교회 예배당에 갑자기 방문하였다.

내리교회와의 인연

당시 인천에는 1945년 10월 7일에 창간된 『대중일보』라는 일간신문이 발행되고 있었는데, 『대중일보』는 김구의 인천 내리교회 방문 기사를 1면 머리기사와 2면 상세 기사로 크게 보도하였다. 그렇다면 김구는 왜 인천의 많은 곳 중에서 내리교회를 방문하였을까? 인천 내리교회는 청년 김창수가 갇혀 있던 인천감리서 감옥과 불과 500미터도 안 되는 거리에 위치해 있다. 김구가 인천감옥에 두 번째 투옥되어 견디기 힘든 인천항 노역을 하던 1915년 8월의 어느 무더운 날, 갑

내리교회를 방문하여 예배를 마치고 교인들과 찍은 기념사진(『내리백년사』 1946. 4. 14.)

자기 수인 전부를 예배당에 모이게 한 후에 분감장이 55번 김구를 불러 가출옥으로 방면한다고 선언했다. 이때 김구를 비롯한 수인들이 모였던 예배당이 바로 내리교회의 예배당이었다.

인천감옥에서 해방된 감격의 기억과 더불어 인천시민들을 만나기 좋은 장소로 때마침 일요일이던 14일 오전에 김구는 용동 마루턱에 위치한 내리교회를 찾았다. 11시부터 예배 순서에 맞추어 찬송가 제창과 사도신경의 합송, 김영섭 담임 목사의 "김구 선생을 모시고 기도를 올리게 됨을 하느님께 감사하며 우리나라에 38장벽이 하루바삐 터지"기를 바란다는 기도를 마치고 김구는 연단에 올라 45분간 인천감옥에 갇혀 있던 청년 시대를 회고하였다. 입추의 여지없이 모여든 청중들은 "감옥 생활이 계속되는 동안의 고난, 모성애, 동포애" 등을 감격의 눈물을 흘리며 들었다고 보도하였다. 목사의 설교에 이어 합창과 기도를 끝으로 예배를 마친 김구는 교회 밖으로 나와 내리교회 신자들과 기념 사진을 촬영하였다. 『대중일보』는 1면 머리기사로 김구 선생이 들려준 이야기들 그대로 옮겨 놓았는데, 그 내용은 아래와 같다.

건국도상의 거인, 김구 주석은 작 14일 상오 10시 15분 용산공작소 지배인 한설렬 씨를 수하야 자동차 내인 내리기독교 예배당에서 일반 신도와 함께 일요 예배를 올린 다음 당일은 일요일이므로 인천 시내 모처에서 안식하였는데, 금 15일은 조선차량, 조선기계, 일립제작소, 기타 공장 시설을 시찰 후 귀경할 예정인데, 선생은 내리예배당에서 예배 중 약 45분간에 걸치어 인천의 감옥 생활에 관련한 요지 다음과 같은 술회로써 예배 중의 신도에게 큰 감명을 주었다.

나는 황해도 해주읍 서촌 출생으로 가난하야 9세까지 소를 끌고 꼴을 뜯기고 있었다. 어느 날 부친에게 자기 집은 학문이 없어 벼슬이 없어 가난하다는 말을 듣고 그날부터 공부하겠다고 졸랐으나 11세 되는 해에 겨우 허락을 얻어 "마상馬上에 봉한逢寒시키니"를 배우기 시작한 지 5년 만에 과거를 보았으나 그만 낙제를 하고 말았다. 그때 마침 학문을 했다는 노인들이 글을 지어 부호 학자들에게 팔고 있는 것을 보고 "돈에 팔리는 학문은 무용이라" 생각하고 공부하기를 단념하였다. 그 후 갑오년 일청 전역이 ▨▨전되자 나는 여러 가지로 처신할 길을 구하여 중국 방면으로 돌아다니고 있든 중 을미년에 고종황제 때의 민중전을 왜놈이 석유로 불살러 죽였다는 소식을 듣고 백성된 도리로 국적을 죽여 원수를 갚을 결심하에 귀국하여 인천 해상에 도달하자마자 수상해 보이는 왜놈을 죽이고 인천 시내에 들어와 그 사실을 기록하야 표를 붙였었다. 그 후 4개월 만에 체포되어 인천감옥에 투옥되었었는데 그때 나의 자친이 가져다주시는 밥의 모양이 여러 가지임을 보고 여러 집에서 빌어 오신 것임을 추측할 수 있었다.

어느 날 옥내에서 금일 김창수(당시 김구명)를 사형에 처한다는 신문을 읽었다. 꼭 죽을 줄 알고 있었는데 사형 시간(당시 사형 시간은 오후 3시 경)이 지나도 집행치 않음으로 도로혀 궁금히 생각하고 있던 바 저녁 6시경 사형만은 취소되었다는 통지를 조선인 관리에게 ▨이다. 그 원인은 고종황제께서 황후를 위한 범행자를 사형까지 당케 하면 나라의 체면상을 위해 ▨▨되었다고 하여 특청이 있었던 까닭이라 하였다.

구사일생을 얻은 나는 탈옥을 계획하야 익년 2월경 간신히 목적을 달성하여 천신만고로 겨우 서울 잠입에 성공하였다.

다음 두 번째 징역은 일한합병 후 지금으로부터 30여 년 전 즉 신해년이었는데 이때는 데라우치 총독 암살미수죄로 15년 체형을 받고 부두 축항 공사에 노역을 하게 되었는데 인천 축항 공사에서 지게에 흙을 잔뜩 짊어지고 허리에는 철쇄로써 다른 죄수와 연락당한 채로 높은 층계에 운반케 되었으나 2, 3일간 메었서나 피로에 찌들어 전신을 움직일 수 없었으며 또 한편 왜놈들이 나의 고난을 자미있게 여길 것을 생각하고 하루라도 더 왜놈의 조소를 받기가 싫어 죽기를 결심하였던 것이었다. 그러나 죽으려면 흙짐을 진 채로 층계에 올러가다가 그대로 떨어져서 죽는 수밖에 없다고 생각은 하였으나 왜놈의 감시하여 자기와 철쇄로 연결된 다른 한 죄수를 떼어 놓고 죽을 수는 없었고 그렇다고 약 3개월 체형밖에 아니 남은 남을 같이 죽일 수도 없어서 자살을 중단할 수밖에 없었던 것이다. 그리하야 하는 수 없이 나는 가진 고난을 감수하여 가며 왜놈들의 지휘에 순종하였던 것이었다.

나는 그동안 법정에 설 때마다 감리사나 경무관 등의 면전에서 그들에게 굴치 않고 오히려 그들을 설복하기에 노력하였고 그것이 또한 ▨▨사이었으나 또 고종황제가 나의 사형을 면제케 하였다는 사실이 이 지상에 전번되어 여러 지사들은 나의 양친을 찾아보고 위로도 하고 원조도 하였었고 또 당시 인천에는 박영근, 안호연이란 분의 집에 나의 자친께서 식모 노릇을 하여 가시면서 하루에 밥 두 끼씩을 받어 감옥의 나를 살려 오시느라고 악전고투하셨던 것이었다. 그러는 동안 나는 옥중에서 계몽운동도 하였고 노역에도 충직하였으므로 모범죄수로 ▨▨출옥을 하게 되었던 것인데 나의 2회 옥중 생활에는 김구金龜란 위 명으로 종시하였든 것으로 제1회 때의 김창수의 명으로 탈옥을 한 사실이 발각되면 사형은 면할 수 없는 터였으므로 은인인 안호연, 박영근 양씨에게 치사도 할 수 없이 출옥하는 길로 상해로 탈출하였든 것이었는데 그 후 상해에서 안씨에게 시계 한 개를 보내어 사은을 표시하였는데 그 시계는 그 유손이 아직도 가지고 있는지? 나는 자친께서 나의 옥중 생활을 위하여 밥을 빌으시던 인천의 거리를 추상하면서 인천의 거리를 한 바퀴 걷고 싶으다. (『대중일보』 1946. 4. 15.)

『대중일보』가 자세히 보도한 김구의 회고 강연 내용을 보건대는, 이미 인천감리서 감옥에 갇혀 있던 때의 이야기를 1929년 상하이와 충칭에서 『백범일지』 상권으로 집필을 해 놓았기에, 위의 술회 내용과 『백범일지』의 내용 사이에는 크게 다른 부분은 없다.

다음 날인 15일, 김구는 아침 8시에 숙소인 중구 전동의 안낙생(안중근의 조카) 집을 출발하여 자동차를 타고 조일양조주식회사 도원동 공장과 소주를 만드는 송월동 공장을 시찰한 다음 송현동 조선차량주식회사에 이르러 차량 제작 공정을 자세히 시찰한 후 공원 일동에게 연설을 통해 격려하였다. 인천 방문을 마치고 돌아가는 길에는 영등포에 있는 조선피혁 공장을 방문하여 직원들과 담화도 나누었는데, 당시 방문 모습이 담긴 사진이 남아 있다.

강화 김주경 가옥과
합일학교

1946년 4월 인천 방문에 이어 김구는 그해 11월 19~20일 이틀 동안 강화도를 찾는다. 19일에는 인천에서 경비선을 타고 무의도에 가서 연설을 하고 구경을 한 다음 다시 인천에 돌아와 다른 배로 강화를 방문했다. 김구의 강화 순시에는 인천 출신의 정치인으로 국회부의장에 올랐던 곽상훈이 동행했는데, 그는 훗날 백범김구선생기념사업협회의 회장을 맡은 인물이기도 하다. 강화는 인천감리서 감옥에 수감되어 있을 때 자신을 석방시키기 위해 전 재산을 바친 김주경과 그의 동생의 집이 있는 곳이다. 김구의 강화 방문은 김주경 가족을 찾기 위해서였다고 선우진은 기억하고 있다.

강화 김주경의 가옥을 방문한 김구(1946. 11.)

전 재산을 바친 구명 노력

김구가 인천감리서 감옥에 갇혀 있을 당시 인천과 강화의 여러 지사들이 김창수(김구)를 구출하기 위해 노력하였는데, 가장 먼저 나선 이는 강화 출신의 김주경金周卿이었다. 김구가 김주경을 만나게 된 것은, 인천감리서 감옥의 사령으로 일하던 최덕만의 주선에 의해서였다. 최덕만이 강화에 가서 자신의 옛 상전인 김주경에게 김창수의 이야기를 하니, 김주경은 의복 한 벌을 지어 감리에게 청원하여 김창수가 입도록 요청했다는 것이다. 얼마 후 인천감리서 감옥으로 마흔 가까이 되어 보이는 김주경이 김창수를 면회 왔다가 인사만 나누고 돌아갔는데, 그가 창수의 어머니를 만나 의복과 돈 200냥을 주고 가면서 김구 일가와의 깊은 인연이 맺어졌던 것이다.

『백범일지』에 의하면 김주경은 김구의 부친과 모친을 번갈아 가며 모시고 서울로 올라가 법부대신인 한규설을 만나서, 김창수의 충의를 표창하여 석방할 것을 요청하였다. 그리고 이 요청이 받아들여지지 않자 김주경은 자신의 막대한 재산을 풀어서 7~8차례나 법부에 소장을 올렸다. 그러나 법적인 청원과 모든 노력이 수포로 돌아가자 김주경은 김창수에게 탈옥을 권유하는 단율의 시 한 수를 보내기도 했다.

김구의 구명을 위한 김주경의 놀랄 만한 노력도 소중하지만, 탈옥 후 김주경의 도움을 잊지 않고 김주경의 집을 찾아 나선 김구의 행적도 주목할 만하다.『백범일지』에는 탈옥한 김구가 마곡사에 잠시 승적을 두었다가 속세로 다시 나온 이후 강화도를 찾았다. 김주경이 집을 떠난 이후 기울어 가는 집안의 모습을 지켜본 김구는 김주경의 아들 윤태와 김주경의 둘째 동생 무경의 두 아이들을 데리고 『동몽선습』과 『사략』·『천자』 등의 공부를 가르치기 시작하여 인근의 30여 명 아이들을 대상으로 수업료도 받지 않고 근 3개월 이상을 성심성의껏 교육하였다.

한편 김구가 강화도 김주경의 동생 김진경의 집에 머무르던 1900년 당시에 강화의 감리교 지도자들인 김우제, 박능일, 주선일 등 강화읍 잠두교회(오늘날의 강화중앙교회)의 지도자들과 조우했을 가능성이 매우 높다.

아쉬움을 달래며

다음의 두 사진(307쪽) 중 위쪽 사진은 김주경 가옥을 찾은 김구의 모습이다. 그러나 김주경의 집은 텅 비어 있었다. 아쉬움을 달래며 김구는 김주경의 친척들과 기념 촬영을 했다.

그 아래 사진은 1928년 건립된 황국현의 한옥에서 김구가 강화 유지들과 함께 찍은 사진이다. 당시 강화도 김진경 가옥을 찾았던 김구의 사진이 남아 있거니와 젊은 날 인천감리서 감옥에 갇혔던 김구를 백방으로 구출하려 애쓰고 그의 부모들을 공양하다 전 재산을 잃고 만주로 떠돌다 연안에서 죽고 만 김주경은 김구에게 있어 생명의 은인과도 같은 사람이었다. 강화 남문 밖이라고 『백범일지』에 기록된 김주경

김주경 가옥 앞에서 곽상훈 등과 함께 찍은 기념사진

1928년 건립된 황국현의 한옥에서 강화 유지들과 함께 찍은 사진

의 가옥은 현재 강화 남문안길 7에 위치한 황국현 고택 앞에 위치한다.

김주경 집터에서 왼쪽 길로 내려가면 강화 남문이 멀지 않은 곳에 자리하고 있다. 오른쪽 윗길로 올라가면, 합일학교가 약 1킬로미터 언덕 위에 위치해 있고 그 옆으로 이동휘를 비롯한 강화 민족운동가와 기독교운동의 요람인 잠두교회가 자리하고 있다. 김주경 집 방문을 마치고 김구는 윗길을 향하여 가까운 곳에 위치한 강화 민족교육의 요람인 합일학교에서 강화군민을 대상으로 연설을 했다.

> 합일학교 운동장에서 환영과 아울러 강연을 할 때, "과거 나에게서 수학하였던 학생 삼십 명 중 이 자리에 참석한 자 있거든 나서 보라."고 두세 번 외쳐 보았으나 결국 한 사람도 없었다. 그런데 그 저녁에야 경관과 동반하여 한 사람이 찾아와 아뢰었다.
>
> "제가 과연 선생님의 제자올시다."
>
> "그러면 나에게서 배운 기억이 나느냐?"
>
> "생각납니다."
>
> "그러면 아까 운동장에 오고도 대답이 없었느냐?"
>
> "저도 운동장에 참석하였으나 선생님의 강연을 듣고 너무도 감격한 나머지 눈물을 금할 수 없어 대답을 못하였습니다."
>
> (『백범일지』419쪽)

김구가 강화를 방문했을 때 김주경의 마을을 찾아 46년 전 그 자신이 최초로 근대 교육을 실시했던 김진경 집에서 제자를 만나 나눈 대화이다. 청년 김창수가 인천감옥에서 신서적을 탐독하고 감옥 죄수들을 상대로 문자 교육을 시켜 '인천감옥'이 '인천감리서 학교'라고 『독립신문』에 기록되기도 했지만, 김구의 민족교육이 처음 실시된 곳은 아무래도 강화 김주경의 동생 김진경 집에서 동네 아이 약 30여 명을 모아 3개월간 가르쳤던 것이라고 할 수 있다. 강화 김주경 가족을 찾아 방문했던 합일학교에서 46년 전에 자신에게 배운 제자를 찾는 김구의 모습에서 그런 애틋한 기억과 보람을 엿볼 수 있다.

합일학교

김구가 강화군민들을 모아 놓고 연설한 합일학교는 1901년 4월 1일 선교와 교육입국의 취지에서 미국 북감리교 선교사이자 인천 내리교회 담임 목사였던 조원시 목사와 강화교회의 지도자였던 박능일 목사가 '잠두의숙蠶頭義塾'이란 이름으로 설립한 학교였다. 초대 의숙장에 박능일이 취임하였고, 교과목은 국어·산술·영어·성경·수신 등을 가르쳤다. 1909년 합일보통학교로 개편하였고, 강화합일보통학교, 강화합일심상소학교 등을 거쳐 1941년 합일국민학교로 교명을 변경하였고, 1984년 2월 공립으로 전환하여 오늘에 이르고 있다. 김구가 인천감리서 감옥을 탈옥하여 강화 김주경의 동생 집에 머무를 때, 강화의 감리교회 지도자들과 만났을 가능성도 매우 높다. 합일학교는 강화 기독교 민족운동이 세운 민족 교육의 요람이었던 것이다.

그렇다면 합일학교 운동장에서 김구는 강화군민들에게 어떤 내용의 연설을 했을까? 이는 아마도 김구가 1946년 4월 15일 인천 내리교회를 찾아서 그 자신이 인천감옥에 갇혀 있을 때의 고난을 이야기했던 것과 마찬가지로 46년 전 자신이 왜 강화에 오게 되었는지, 그리고 강화에서 어떤 사람들을 만났고 어떤 활동을 했는지를 생생하게 떠올리며 들려주지 않았을까 짐작된다. 합일학교를 방문한 김구는 글씨 한 점을 친필로 남기는데, '홍익인간弘益人間' 편액이 지금도 합일초등학교 교장실에 걸려 있다.

합일학교에서 열린 김구 환영회

강화 합일초등학교 교장실의 '홍익인간' 편액

1946년 김구가 연설했던 강화 합일초등학교의 최근 모습

버드라지 마을
강화 장곶

김구가 강화도 화도면 장곶의 신안 주씨 일가와 관계를 맺은
것은 유완무柳完茂를 만난 인연에서 비롯되었다. 청년 김구는
1898년 유완무와 그의 동지들을 만났다. 서울과 충청도 연산,
전라도 무주, 경상도 지례를 옮겨 다니며 지내다가 강화도 화
도면 장곶의 유완무 제자인 주윤호朱潤鎬 진사의 집을 처음 찾
았던 것이다. 김구는 유완무의 지시로 주윤호 집에 가서 민족
운동 자금으로 쓸 백동전 4000냥을 받아 가지고 그것을 온몸
에 돌려 감고 서울로 올라왔다고 기록했다. 그가 찾은 강화 주
진사의 집은 해변에 위치해 있었고 11월인데도 아직 감나무에
감이 달려 있었는데, 해산물이 풍족한 그곳에서 몇 날을 잘 지

내고 돌아왔다는 것이다.

인천 부평부 시시내 출신인 유완무는 강화도 장화리 버드라지 마을과도 선대로부터 인연이 있었던 것으로 보인다. 『진주유씨세보』 권4에 따르면, 유완무의 선친인 유보형의 묘가 강화군 화도면 장화리 상방곡이라고 기록되어 있다. 이로 보아서 유완무는 인천 서구 시천동에 대거 세거했던 진주 유씨 일가로 선대의 어느 시기에 강화도 화도면으로 이주했던 것이 아닐까 추정해 볼 수 있다. 아마도 그곳에서 한학을 배운 유완무에게 주윤호가 글을 배웠기에 『백범일지』에는 주윤호가 유완무의 제자라고 칭했던 것이 아닐까 짐작된다.

주씨 형제

김구가 묵었던 강화 장곶, 오늘날의 화도면 장화리 298번지에 위치한 주윤호 진사의 집은 집 뒤에는 감나무가 아직 남아 있고, 집에서 약 500미터만 서쪽으로 가면 장화리 바닷가가 펼쳐져 있다. 집 대문 앞에는 '백범 김구 선생이 다녀간 강화 장곶 주 진사댁'이라는 제목의 표지판과 함께 『백범일지』 관련 기록을 적어 놓았다.

그런데 이 집은 주윤호 진사의 집이 아니라 주 진사의 형인 주윤창의 집이다. 신안 주씨 집성촌인 버드라지 마을에 살고 있는 신안 주씨 강화종친회 주경훈 회장은 집을 안내해 가며 구체적인 증언을 해 주었

주윤호 진사의 가옥

다.『백범일지』에는 주윤호 진사를 소개하면서 김구가 원주原註를 붙여
'형 윤창潤彰'이라고 밝혀 놓았는데, '윤창潤昌'의 오기이다. 이 동네 전체
가 신안 주씨 집성촌이고 화도면 대부분의 땅을 소유했던 주윤창이 바
로 이 집에 살았다는 것이다. 주윤호 진사의 집은 윤창의 집 바로 옆에
건물 한 채만 현재 남아 있다며 집터로 안내를 해 주었다. 주윤창의 집
과 불과 30미터 떨어진 곳에 주윤호 진사의 집 한 채만이 쇠락한 채 남
아 있었다. 주경훈 회장은 주윤창이 감찰과 의관 벼슬을 위해 동네 사
람들이 '주 감찰댁'이라고 불렀다고 전해 주었다. 그리고 주윤호 진사

는 친동생이 아닌 일가의 동생으로 양자를 들여 공부를 시켰다는 것이
다. 주 감찰댁에는 얼마 전까지만 해도 주윤창의 증손자며느리가 살고
있었으나 최근 병환이 들어 인천의 병원에 입원한 관계로 집은 비어
있다고 알려 주었다.

주 감찰댁

청년 김구가 풍부한 해산물을 먹으며 며칠을 묵다가 운동자금
4000냥을 얻어 갔던 주 감찰댁이 있는 강화군 화도면 장화리 298번지
(현재의 해안남로 2478번길 3-4)의 마을은 예부터 버드나무가 많아서 '버
드라지'라고 불렸다고 한다. 강화의 문사였던 화남 고재형이 1906년
강화도의 각 마을과 명소를 직접 방문하면서 남긴 기행 문집『심도기
행沁都紀行』에도 장화리를 읊은 시 한 편이 남아 있다.

尼嶽西停長串村(니악서정장곶촌) 마니산 서쪽의 장곶촌에 머무니
鎭墩無迹海雲鰧(진돈무적해운번) 진과 돈대 흔적 없고, 바다 구름만 피
                             어나네
樞官庠士朱兄弟(추관상사주형제) 중추원 의관 지낸 주씨 집안 형제는
楊柳樓臺始闢門(양류누대시벽문) 양류 누대에서 가문을 열었네

장곶에 있던 진과 돈대가 흔적도 없이 사라진 바닷가 마을 풍경과

함께 이곳의 대표적인 인물로 "중추원 의관 지낸 주씨 형제"를 떠올린다. 고재형은 시 밑에 단 산문으로 "신안 주씨인 주윤창이 의관을 지냈고 아우 주윤호는 사마시에 합격하였다"고 설명을 곁들였다. 고재형이 읊은 장곶촌의 풍광은 김구가 『백범일지』에 기록한 주씨 집의 위치와 마찬가지로 바다가 내려다보이는 해안가에 위치했다는 것을 알 수 있다. 장화리의 신안 주씨 집안은 강화읍의 홍씨, 온수리의 김씨 집안과 함께 강화의 3대 부자 중 하나였다고 한다. 실제로 화도면에서는 신안 주씨 일가의 땅을 밟지 않고서는 다닐 수 없었을 정도로 대규모 토지를 소유했다고 주경훈 회장은 강조해 말했다.

그런데 앞서 인용한 『백범일지』를 보면 김구가 백동전 4000냥을 주윤호 진사가 유완무에게 전한 것이라고 기록되어 있다. 이에 대해서도 주경훈 회장은 주윤호가 마련해서 준 것이 아니라 형 주윤창이 마련한 것이라고 확신에 차서 말했다. 주경훈 회장의 소개로 화도면 내리에 살고 있는 주윤창의 직계 증손인 주영원(朱永原, 1934~) 선생 댁을 찾아갔다. 주영원 선생은 주윤창(증조부), 주시용(朱時容, 조부), 주호종(朱灝鐘, 부친)의 삼남이다. 주영원 선생은 만나자마자 1945년 8·15 해방 직전에 선친인 주호종이 조선약학과를 나와 남원도립병원에서 근무할 때 어린 자신이 증조부인 주윤창 할아버지의 병수발을 들었다는 뚜렷한 기억부터 들려주었다. 해공 신익희와 관립한성외국어학교 영어학교 동창이었던 주시용 할아버지가 신익희 등과 함께 모여서 상하이 망명 계획을 말하며 망명 자금을 요청하자, 주윤창 할아버지가 "나 하나면 족한데 너까지 그럴 것 없다"며 목침을 던졌다는 일화를 전했다. 윤창 증조부가 던진 목침에 맞아 조부의 이마에 패인 곳이 있었다며 "백범 김구 선생에게 4000냥을 준 것이 발각되어 증조부가 고초를 겪었다고 이야기하였다"고도 했다.

증조부 주윤창 할아버지는 아들 주시용보다는 며느리인 조은하를 비서처럼 믿고 일을 맡겼는데, 조은하는 강화의 창녕 조씨인 죽산 조봉암과 6촌 관계였다고 했다. 『백범일지』에 나오는 김구가 주윤호 진사의 집에 묵었다는 기록에 대해서도, 주윤창 할아버지의 행랑채에서 일주일을 묵었는데, 그 행랑채는 지금은 헐어 없어졌다는 것이다. 주윤호 진사가 김구에게 주었다는 독립운동자금 4000냥은 실은 주윤창 할아버지가 동생을 시켜 전달해 준 것이었으며, 김구가 상하이로 망명한 후에도 임시정부의 요인들이 몇 번 왔다 갔는데, 그때마다 많은 땅을 팔았다는 이야기도 조은하로부터 여러 차례 들었다는 것이다.

주영원 선생은 구한말 유완무의 제자였던 주윤호 진사의 소개로 청년 김창수가 주윤창 집에 머물렀고, 감찰과 의관을 지냈으며 집안 대소사를 책임졌던 주윤창 할아버지가 4000냥을 마련하여 유완무에게 보낸 것이 『백범일지』에 주윤호 진사로 기록됨으로써 주윤창 할아버지의 독립운동이 조명을 받지 못하는 것을 안타까워했다. 뒤늦게 국가보훈처에 탄원서를 내 독립운동 서훈을 받을 수 있기를 간절히 고대하고 있었다.

연보

일러두기

― 『백범일지』 원본의 날짜 착오를 수정해 연보를 작성했다.

― 원칙적으로 연월일을 밝히되 애매한 부분은 계절로 표시했다.

― 『백범일지』 원본엔 양력·음력 구별이 없지만, 1903년 기독교 입문 이후는 대체로 양력 날짜를 쓴 것을 감안해 이 연보에서는 양력을 원칙으로 하되 필요한 경우 음력을 병기했다.

― 활동 주체가 김구인 경우 주어를 생략했다.

1876~1877년(1~2세)

8월 29일(음력 7월 11일) 황해도 해주 백운방 텃골에서 안동 김씨 김자점의 방계 후손인 아버지 김순영과 어머니 곽낙원의 외아들로 태어남. 아명은 창암昌巖. 같은 날, 할머니 돌아가심.

1878~1879년(3~4세)

천연두를 앓았는데 어머니가 보통 부스럼 다스리듯 죽침으로 고름을 짜 얼굴에 마마 자국이 생김.

1880~1882년(5~7세)

5세 때 강령 삼가리로 이사.

아버지의 숟가락을 부러뜨려 엿을 사 먹는 등 개구쟁이로 소문남.

7세 때 텃골 고향으로 되돌아옴.

* 1881년 1월 일본에 신사유람단 파견. 1882년 6월 임오군란 발발.

1883~1886년(8~11세)

아버지가 도존위에 천거되었다 3년이 못 되어 면직.

1884년 4월 백부 김백영 별세.

1885년 어릴 때 젖을 준 핏개댁 사망.

* 1884년 10월 갑신정변.

1887년(12세)

양반이 아니라 갓을 쓰지 못하는 집안 어른의 사연을 듣고 양반이 되기 위해 공부를 결심. 아버지가 청수리 이 생원을 선생으로 모셔 글방을 차려 줌.

1888~1889년(13~14세)

1888년 4월 할아버지 김만묵 별세. 아버지 뇌졸중으로 전신불수가 되나 반신불수로 호전됨. 부모님은 문전걸식하며 고명한 의원을 찾아 유랑함.

소년 창암은 큰어머니와 장연 6촌 누이 등의 보살핌을 받음.

* 1889년 9월 방곡령 선포.

1890~1891년(15~16세)

1890년 4월 부모님과 다시 고향으로 돌아와 서당에 다니지만 선생의 수준에 실망. 아버지의 권유로 「토지문권」 등 실용문을 배우며 『통감』, 『사략』 등을 읽음. 친척 정문재 서당에서 면비 학생으로 『대학』과 한시 등을 공부.

* 1890년 1월 함경도 방곡령 철회. 1991년 제주도에서 민란.

1892년(17세)

임진년 경과에 응시하나 낙방. 매관매직의 타락상에 절망해 과거를 포기함.

석 달 동안 두문불출하며 『마의상서』로 관상을 공부. 관상 좋은 사람보다 마음 좋은 사람이 되기로 결심. 그 밖에 『손무자』, 『오기자』, 『육도』, 『삼략』 등 병서를 탐독.

집안 아이들을 모아 1년간 훈장 노릇을 함.

* 12월 동학교도 전라도 삼례역에 집결, 탄압 중지 등을 요구.

1893년(18세)

정초에 오응선을 찾아가 동학 입도. '창수昌洙'로 개명. 입도 몇 달 만에 연비 수천 명을 확보하여 '아기 접주'로 불림.

1894년(19세)

연비 명단 보고차 충북 보은으로 가서 해월 최시형에게 접주 첩지를 받음.

9월 황해도 15명의 접주 회의에서 거사를 결정.

11월 '팔봉 접주'로 선봉에 섰지만 해주성 공격에 실패, 구월산 패엽사로 후퇴해 군사 훈련. 안태훈, 백범에게 밀사를 보내 상부상조하기로 밀약.

12월 홍역을 앓는 와중에 같은 동학군 이동엽의 공격으로 대패, 몽금포로 피신해 3개월간 잠적.

* 1월 전봉준 고부민란 발생. 6월 청일전쟁(양력 1894년 8월-1895년 4월) 발발. 12월 순창에서 잡힌 전봉준 서울로 압송.

1895년(20세)

2월 부모와 함께 청계동 안태훈 진사에게 의탁.

유학자 고능선을 만나 가르침을 받게 됨.

5월 김형진을 만나 의기투합하여 함께 만주까지 감.

11월 김이언 의병장의 강계 고산진 전투에 참가하나 패배함.

귀향 후 고능선의 맏손녀와 약혼하지만 김치경의 방해로 파혼.

* 3월 전봉준 처형. 8월 을미사변, 명성황후 시해(양력 10월 8일). 11월 15일 단발령 공포. 11월 17일 연호를 건양建陽으로 개정, 양력 사용.

1896년(21세)

2월 다시 중국 여행길에 올랐지만 단발령 정지와 삼남 의병 소식을 듣고 안주에서 돌아옴.

3월 9일 치하포에서 명성황후의 원수를 갚기 위해 일본인 쓰치다 조스케를 죽임.

6월 해주옥에 갇힘.

8월 인천감옥으로 이송. 옥중에서 장티푸스에 걸려 괴로움으로 자살을 기도하나 살아남.

8~9월 세 차례의 심문을 받음.

10월 22일 법부에서 김창수의 교수형을 건의하지만 고종은 최종 판결을 보류하여 미결수로 수감 생활. 감옥에서 『세계역사』, 『세계지지』, 『태서신사』 등을 통해 서양 신학문과 근대 문물을 접함.

* 1월 전국 각지에서 을미의병 봉기. 2월 11일 고종 아관파천. 4월 제1회 근대 올림픽 개최(하계, 그리스 아테네) 4월 7일 독립신문 창간. 7월 서재필 등 독립협회 조직.

1897년(22세)

김주경이 김창수 구명 운동을 벌이지만 가산을 탕진하고 행방이 묘연해짐.

* 8월 연호를 광무光武로 고침. 10월 12일 대한제국 선포. 11월 명성황후 국장 거행.

1898년(23세)

3월(양력) 인천감옥 탈옥. 부모가 대신 투옥됨. 삼남 지방을 떠돌다 늦가을에 마곡사에서 법명 '원종圓宗'을 받고 승려가 됨.

* 1898년 6월-9월 청, 변법자강운동.

1899년(24세)

봄에 금강산으로 공부하러 간다며 마곡사를 떠나 4월 부모 상봉.

5월 평양 대보산 영천암 방장으로 장발의 걸시승 생활.

가을 무렵 환속 후 해주 고향으로 돌아옴. 숙부가 농사를 권유.

* 1899년 11월-1901년 9월 중국 의화단, 반외세운동.

1900년(25세)

2월 '김두래'로 이름을 바꾸어 강화로 김주경을 찾아가나 만나지 못함.

동생 진경 집에서 3개월간 김주경의 아들과 동네 아이들을 가르침.

김주경의 친구 유완무와 그의 동지들을 만나 유완무의 권유로 이름을 '구龜'로 바꾸고 자는 '연상蓮上', 호는 '연하蓮下'로 지음.

11월 부모님을 연산으로 모시려고 귀향.

스승 고능선을 찾아가 구국 방안에 대해 논쟁.

1901년(26세)

1월 28일(음력 1900년 12월 9일) 아버지 별세.

1902년(27세)

음력 1월 맞선을 본 여옥과 약혼.

우종서의 권유로 아버지 탈상 후 기독교를 믿기로 결심함.

* 1월 영일 동맹.

1903년(28세)

음력 1월 약혼녀 여옥 병사.

2월 장련 사직동으로 이사.

아버지 탈상 후 기독교에 입문.

장련읍 진사 오인형의 사랑에 학교 설립. 장련공립소학교 교원이 됨.

여름에 평양 예수교 주최 사범강습소에서 만난 최광옥의 권유로 안창호의 동생 안신호와 약혼하나 곧 파혼.

장련군 종상위원으로 임명됨.

1904년(29세)

12월 신천 사평동 교회 양성칙의 소개로 최준례를 만나 결혼.

최준례 서울 경신여학교에 입학.

* 2월 러일전쟁(-1905년 9월) 발발. 2월 23일 한일의정서 늑결.

1905년(30세)

11월 진남포 엡워스 청년회 총무 자격으로 서울 상동교회에서 열린 전국대회 참가.

전덕기, 이동녕, 이준, 최재학 등과 함께 을사늑약 파기 청원 상소를 올리고 공개 연설 등 구국 운동.

12월 고향으로 돌아와 신교육 사업에 힘씀.

* 7월 태프트·가쓰라 밀약. 9월 미국, 러일전쟁 종결 위한 포츠머스 강화조약. 11월 17일 을사늑약 체결, 통감부 설치. 11월 20일 장지연, 황성신문에 '시일야방성대곡' 발표. 11월 30일 민영환 자결. 12월 손병희, 동학을 천도교로 개칭.

1906년(31세)

장련에 광진학교를 세움.

장련에서 신천군 문화로 이사.

서명의숙 교사로 농촌 아이들 가르침.

11월 최광옥과 함께 안악면학회 조직.

첫딸 태어남.

* 12월 최익현 단식 자살.

1907년(32세)

안악으로 이사.

첫딸 사망.

양산학교 교사가 됨.

* 4월 신민회 조직. 이준·이상설, 고종의 밀서를 지니고 헤이그 만국평화회의 참석차 출국. 7월 대한제국 군대 해산 조칙 발표. 8월 고종 물러나고 순종 즉위.

1908년(33세)

9월 양산학교 소학부 담당. 중학부 개설함.

가을 황해도 교육자들과 해서교육총회를 조직하고 학무총감을 맡음.

* 9월 안창호 대성학교 설립. 12월 동양척식주식회사 설립.

1909년(34세)

황해도 각 군을 순회하며 환등회·강연회를 열어 계몽 운동.

10월 26일 안중근의 이토 히로부미 저격 사건으로 체포되었다가 한 달여 만에 불기소 처분.

12월 양산학교 소학부와 재령 보강학교 교장 겸임.

나석주·이재명 등과 만남.

* 12월 일진회장 이용구, 한일합방을 정부에 건의. 12월 22일 이재명, 이완용 습격.

1910년(35세)

둘째 딸 화경 태어남.

서울 양기탁 집에서 열린 신민회 비밀회의 참석해 이동녕 등과 서울에 도독부 설치, 만주 이민 및 무관학교 창설 등을 결의.

12월 안명근, 양산학교로 김구를 찾아옴.

* 3월 26일 안중근, 뤼순 감옥에서 사형. 4월 이시영, 이동녕, 양기탁 등 서간도에 독립운동 기지 마련. 경학사와 신흥강습소 설치. 8월 29일 한일합방조약 공포(경술국치). 조선총독부 설치. 12월 안명근, 군자금을 모으다 체포됨.

1911년(36세)

1월 일본 헌병에게 체포되어 김홍량 등과 함께 서울로 압송. 총감부 임시 유치장에서 혹독한 고문을 당하고 종로 구치감으로 이감. 어머니가 옥바라지.

7월 징역 15년 선고받음. 서대문감옥으로 이감되어 복역 중 의병과 활빈당 등을 만남.

* 1월 경무총감부, 안명근 검거를 계기로 황해도 일대 민족주의자 총검거(안악사건). 7월-9월 안악사건 과정에서 신민회사건 조작, 1심에서 105명 유죄 판결받음. 10월 중국 신해혁명 시작됨.

1912년(37세)

9월 메이지 일왕 사망으로 15년 형에서 7년으로 감형.

* 1월 쑨원, 중화민국 선포.

1913년(38세)

* 5월 13일 안창호, 미국 샌프란시스코에서 흥사단興士團 창립.

1914년(39세)

쇼켄 왕비가 죽어 7년 형에서 다시 5년으로 감형. 이름을 '구龜'에서 '구九'로 바꾸고, 호를 '연하蓮下'에서 '백범白凡'으로 바꿈.

인천감옥으로 이감, 17년 전 감방 동료였던 문종칠을 만남. 인천 축항 공사장에서 강제 노역의 괴로움으로 투신자살을 결심하나 마음을 바꿈.

* 7월 제1차 세계대전(-1918년 11월) 발발. 8월 일본, 독일에 선전포고.

1915년(40세)

둘째 딸 화경 사망.

8월 가석방.

아내가 교원으로 있는 안신학교로 감.

1916년(41세)

문화 궁궁농장 추수 검사看檢.

셋째 딸 은경 태어남.

1917년(42세)

1월 숙부 김준영 별세.

2월 동산평 농장의 농감이 되어 소작인들을 계몽하고 학교를 세움.

셋째 딸 은경 사망.

* 8월 상하이에서 조선사회당 결성. 11월 레닌, 러시아혁명.

1918년(43세)

11월 맏아들 인 태어남.

* 1월 러시아 이르쿠츠크 공산당 한인 지부 결성. 1월 8일 미국 윌슨 대통령, 민족자결주의 14개 원칙 선언. 6월 이동휘 등 하바롭스크에서 한인사회당 결성. 11월 11일 독일·연합군 간의 휴전 협정 조인으로 제1차 세계대전 종결.

1919년(44세)

3·1만세운동이 전국으로 확산, 안악에서도 만세운동이 일어남.

어머니 곽낙원 여사 회갑 잔치를 사양.

3월 29일 안악을 떠나 평양·신의주·안동을 거쳐 상하이로 망명.

9월 상하이 임시정부의 경무국장이 됨. 국무총리 이동휘의 공산주의 운동 회유 거부.

* 1월 고종 승하. 1월 파리강화회의(-1920년 1월), 2월 도쿄의 조선인 유학생들, 독립선언서 발표. 4월 10일 상하이에서 대한민국임시의정원 개원. 4월 11일 대한민국임시정부 수립. 5월 4일 중국 5·4운동. 9월 임시정부 제1차 개헌. 대통령제로 개정, 초대 내각 발표. 대통령 이승만, 국무총리 이동휘. 11월 9일 김원봉, 만주 지린성에서 의열단 조직.

1920년(45세)

8월 아내 최준례, 아들 인을 데리고 상하이로 옴.

* 1월 1일 국제연맹 창설.

1922년(47세)

어머니 곽낙원 여사가 상하이로 옴.

2월 임시의정원 보궐선거에서 의원으로 선출됨.

9월 임시정부 내무총장이 됨.

차남 신 출생.

10월 여운형, 이유필 등과 한국노병회 조직하고 초대 이사장이 됨.

1923년(48세)

6월 임시정부 내무총장 자격으로 국민대표회의 해산령을 내림.

12월 상하이 교민단 의경대 설치, 고문에 추대됨.

* 1월 상하이에서 국민대표회의 열림. 9월 관동대지진. 일본, 유언비어를 퍼뜨려 한국인 학살.

1924년(49세)

1월 1일 아내 최준례가 상하이 훙커우 폐병원에서 사망. 프랑스 조계 숭산로 공동묘지에 매장.

6월 내무총장으로 노동국 총판을 겸임.

* 1월 중국 제1차 국공합작 성립. 4월 이동녕 임정 국무총리 취임.

1925년(50세)

8월 29일 나석주가 옷을 저당 잡혀 생일상을 차려 줌.

11월 어머니, 차남 신을 데리고 고국으로 돌아감.

* 3월 임시정부, 이승만 면직. 박은식을 임시 대통령으로 선출. 임정, 대통령제를 국무령 중심의 내각책

임제로 개편. 4월 임시의정원, 구미위원부 폐지령 공포. 국내에서 조선공산당 창립. 7월 박은식, 임정 대통령 사임. 9월 이상룡, 임정 국무령 임명.

1926년(51세)

12월 국무령 홍진 등 임시정부 국무위원 총사직. 김구는 국무령으로 선출됨.

1927년(52세)

3월 김구 국무위원으로 선출됨.

8월 임시정부 내무장이 됨. 한국유일독립당 상하이 촉성회 집행위원이 됨.

9월 장남 인을 고국의 어머니에게 보냄.

* 10월 마오쩌둥, 중화소비에트공화국 수립.

1928년(53세)

3월 『백범일지』 상권 집필 시작.

임시정부 활동 침체기로 미주 등 해외 교포들에게 편지를 띄워 자금 지원을 요청.

1929년(54세)

5월 『백범일지』 상권 탈고.

8월 상하이교민단 단장으로 선출됨.

* 1월 미국 뉴욕 증시 붕괴로 세계 대공황(-1941년) 시작. 11월 3일 광주학생운동 봉기.

1930년(55세)

1월 25일 이동녕 안창호, 조완구, 조소앙 등과 한국독립당 창당.

11월 임시정부 재무장이 됨.

1931년(56세)

10월 한인애국단 창단. 하와이·멕시코·쿠바 등지의 교민에게 편지로 금전적 지원을 받아 이봉창 의거 등 의열 투쟁을 계획함.

1932년(57세)

1월 8일 이봉창, 도쿄에서 일왕 히로히토에게 수류탄을 던졌으나 실패.

4월 29일 윤봉길, 상하이 홍커우 공원에서 일왕 생일 축하식장에 폭탄을 던져 시라카와 대장 등을 살상시킴. 김구 미국인 피치 박사 집으로 피신.

5월 상하이 각 신문과 통신에 상하이 폭탄 의거의 주모자가 김구 본인임을 발표하고 상하이를 탈출.

임시정부도 항저우로 옮김. 군무장이 됨. 6월 임시정부에서 물러나 자싱·하이옌 등지로 피신. 광둥 사람 장진구, 또는 장진으로 행세.

* 10월 10일 이봉창, 교수형으로 순국. 11월 한국독립당·조선혁명당·한국혁명당·의열단·한국광복동지회 등 한국대일전선통일동맹 조직. 12월 19일 윤봉길, 총살형으로 순국.

1933년(58세)

5월 박찬익 주선으로 장제스와 면담. 필담으로 낙양군관학교 한인특별반 설치에 합의.

11월 92명을 입교시켜 지청천, 이범석의 지도로 훈련을 시작함.

* 1월 중일 양군, 산해관에서 충돌. 3월 일본, 국제연맹 탈퇴. 3월 미국, 뉴딜 정책(-1936년). 6월 미국, 금본위제 폐지. 7월 독일 히틀러 정권, 1당 독재 체제로.

1934년(59세)

2월 중국 중앙육군군관학교 낙양분교에 한인특별반 설치.

4월 9년 만에 자싱에서 어머니와 아들 인, 신 재회.

일본의 항의로 한인특별반 중지. 자싱의 여자 뱃사공 주아이바오(주애보)를 난징으로 오게 해 동거.

12월 난징에서 중앙군관학교 한인 학생 중심으로 한국특무대독립군 조직.

1935년(60세)

5월 임시정부 해소의 부당성을 지적한 경고문을 발표. 조소앙 등 임시정부 국무위원 5명 사직.

10월 임시의정원 의원 16인, 자싱의 난후(남호) 배 위에서 비상회의. 이동녕, 김구, 조완구 등을 국무위원으로 보선.

11월 이동녕, 이시영, 조완구, 엄항섭, 안공근 등과 함께 임시정부 옹호를 위한 한국국민당 조직. 임시정부, 항저우에서 전장으로 옮김.

* 1월 모택동, 중국공산당 지도권 장악. 4월 민족혁명당 결성과 임정 무용론 대두로 임정 내분 격화. 7월 한국독립당·조선혁명당·의열단·신한민족당·대한독립당을 민족혁명당으로 통합. 9월 조소앙 등 민족혁명당 탈당.

1936년(61세)

8월 27일 환갑을 맞아 이순신의 「서해어룡동 맹산초목지誓海魚龍動 盟山草木知」를 휘호로 씀.

1937년(62세)

8월 한국국민당·한국독립당·조선혁명당·한인애국단 및 미주 5개 단체를 통합, 한국광복운동단체연합회(광복진선) 결성.

중일전쟁으로 후난성 창사로 피난하기로 하고 100여 명의 대가족이 목선으로 난징을 떠남.

안공근을 상하이에 파견, 안중근 의사 유족을 모셔 오게 했으나 성사되지 못함.

* 6월 4일 김일성, 보천보 습격. 12월 조선민족혁명당·조선민족해방동맹·조선혁명자연맹·조선민족전선연맹 결성. 12월 13일 일본군, 난징 점령 및 대학살.

1938년(63세)

5월 3당 합당 문제 논의를 위해 모인 남목청에서 이운환의 저격으로 중상, 한 달간 입원 치료.

7월 임시정부를 창사에서 광저우로 옮김.

10월 임시정부를 리우저우로 옮김.

* 4월 일본, 국가총동원법 공포. 5월 일본, 국가총동원법의 조선 적용 공포. 8월 뮌헨 협정 체결, 히틀러 요구대로 체코 영토 일부 할양. 8월 일본, 소련과 정전 협정. 10월 10일 김원봉 등 조선의용대 창설. 일본군, 한커우·우창·광둥 등 함락.

1939년(64세)

3월 임시정부 쓰촨성 치장으로 옮김.

4월 26일 어머니 곽낙원 여사 인후염으로 충칭에서 별세.

김원봉과 공동 명의로 민족운동단체연합을 호소하는 '동지·동포 제군에게 고함' 발표.

7월 김원봉계의 조선민족전선연맹과 협의해 전국연합진선협회 결성.

8월 치장에서 7당 통일회의 개최.

11월 조성환을 단장으로 한 군사 특파단, 시안으로 파견.

* 3월 중국국민당, 국민정신총동원령 발표. 7월 일본, 국민징용령 공포. 8월 독일과 소련, 불가침조약 조인. 9월 1일 독일의 폴란드 침공으로 제2차 세계대전(1945년 9월 2일) 발발.

1940년(65세)

2월 임시정부 대가족, 투차오로 이주.

5월 9일 충칭에서 한국독립당·조선혁명당·한국국민당의 통합으로 한국독립당 결성, 중앙집행위원장에 선출됨.

9월 임시정부, 치장에서 충칭으로 옮김.

9월 17일 충칭 가릉빈관에서 광복군 성립 전례식.

10월 임시정부 헌법 개정, 주석으로 선출됨.

11월 시안에 한국광복군 총사령부 설치, 간부 30여 명 파견.

* 2월 창씨개명 강제. 3월 이동녕 별세.

1941년(66세)

6월 임시정부 주석 자격으로 루스벨트 미국 대통령에게 임시정부 승인을 요청하는 공함을 보냄.

10월 임시정부 승인 문제로 중국 외교총장과 회담. 『백범일지』 하권 집필 시작.

11월 임시정부, '대한민국건국강령' 제정 발표.

12월 10일 임시정부, 일본에 선전포고.

* 3월 일본, 국가보안법 공포. 4월 일본과 소련, 불가침조약 체결. 8월 루스벨트와 처칠, 대서양헌장 발표. 10월 일본, 도조東條 내각 출범. 12월 7일 일본군 진주만 공습, 태평양전쟁 개전.

1942년(67세)

3월 임시정부, '3·1절 선언'을 발표하며 중·미·영·소에 임시정부 승인 요구.

5월 조선의용대, 한국광복군 편입. 김원봉을 광복군 부사령관으로 임명.

7월 광복군, 중국 각지에서 연합군과 공동 작전 개시.

10월 김원봉 등 좌파, 임시의정원 참여.

* 1월 일본 수상, 대동아공영권 건설 지도방침 표명. 7월 김두봉 등, 연안에서 조선독립동맹 결성. 8월 동아일보·조선일보 폐간. 10월 한중문화협회 결성. 10월 1일 조선어학회 사건 발생.

1943년(68세)

3월 임시정부, 충칭에서 3·1운동 24주년 기념식.

7월 장제스 총통과 회담, 전후 한국독립 지원 요청.

8월 주석직 사임 발표.

9월 주석으로 복직.

* 9월 이탈리아, 연합군에 항복. 10월 일제, 조선에서 징병제 실시. 11월 미·영·중 3국 최고지도자, 카이로회담에서 한국의 독립 문제 논의(12월 1일 카이로선언 발표).

1944년(69세)

4월 임시정부 제5차 개헌. 권한이 강화된 주석으로 재선.

10월 장제스 면담, 임시정부 승인 요구.

* 8월 연합군, 파리 입성. 일제, 여자정신대령 공포. 9월 여운형, 건국동맹 결성.

1945년(70세)

1월 일본군에 끌려간 학병 50여 명이 탈출하여 임시정부로 찾아옴.

2월 임시정부, 일본·독일에 선전포고.

3월 장남 인, 폐병으로 28세에 세상을 떠남.

4월 광복군의 OSS 훈련 승인. 중국전구 사령관 웨드마이어 중장 방문.

7월 산시성 시안과 안후이성 푸양에 광복군 특별훈련단 설치.

한국독립당 중앙집행위원장으로 선출.

8월 시안에서 한인 학생들의 훈련을 참관하고, 미군 도노반 장군과 광복군 국내 진입 작전 합의.

8월 10일 산시성 주석 주사오저우로부터 일본 항복 소식을 들음.

8월 18일 충칭으로 귀환.

9월 '국내외 동포에게 고함'을 통해 임시정부의 당면 정책 14개 조항 발표.

11월 5일 충칭에서 상하이로 옴.

11월 23일 임시정부 제1진으로 개인 자격으로 미군 수송기편으로 김포공항을 통해 환국. 죽첨장서 미리 기다리고 있던 이승만과 환담.

11월 24일 오전 군정청으로 하지 사령관, 아널드 군정장관 방문.

11월 25일 돈암장으로 이승만을 방문하고 당면 문제에 관해 요담.

11월 26일 군정청으로 가서 하지 사령관 방문.

11월 27일 국민당, 한국민주당, 인민당, 인민공화국 대표 등 각 정당 수뇌와 요담.

11월 28일 우이동 손병희 묘소 참배. 망우리 안창호 묘소 참배. 정동교회 환영회 참석. 조선기독교 남부대회에 참석하여 '반석 위에 나라를 세우겠다'고 강연.

11월 29일 경교장을 방문한 '김구특무대' 대표들에 '김구특무대' 해산 요구.

12월 1일 '임시정부 환국 봉영회'에서 축하 인사.

12월 6일 오전 경교장서 임시정부 국무회의 개최. 군정청에서 이승만, 하지 사령관 등과 민족통일전선 결성에 대해 회담.

12월 7일 한민당 송진우 경교장을 방문하여 김구에게 인민공화국 해산을 역설.

12월 8일 명동성당 노기남 주교 집전 환영회 참석.

12월 12일 종로 봉익동 대각사 불교계 주최 임시정부 요인 환영회 참석.

12월 19일 서울운동장서 개최된 대한민국 임시정부 환영 대회 참석.

12월 23일 서울운동장서 거행된 순국선열 추념 대회 참석.

12월 27일 오후 8시 '삼천만 동포에게 고함'이란 제목의 방송(엄항섭 선전부장 대독)에서 완전 자주독립한 통일된 조국을 건설하자고 역설.

12월 28일 오후 4시 경교장서 긴급 국무회의를 개최하고 '4국 원수에게 보내는 반탁 결의문' 채택. 신탁통치반대국민총동원위원회 설치, 성명서와 결의문 채택.

* 7월 미·영·중 3국 최고지도자 포츠담선언. 8월 15일 일본 무조건 항복, 제2차 세계대전 종결. 10월

귀국한 이승만을 중심으로 독립촉성중앙협의회 발족.

1946년(71세)

1월 1일 신년사 발표. 반탁운동 방법에 대해 방송(엄항섭 선전부장 대독).

1월 23일 서대문형무소 방문.

2월 12일 경교장을 방문한 인민당 당수 여운형, 비서 황진남, 군정고문 굿펠로우 3인과 1시간 정도 요담.

2월 14일 군정청서 개최된 남조선대한국민대표민주의원(이하 민주의원) 개원식에 참석, 부의장에 취임.

2월 24일 민주의원 총리로 선출.

3월 1일 보신각서 거행된 27회 독립선언 기념식 참석하여 축사.

3월 5일 민주의원이 창덕궁 인정전 동행각으로 이전함에 따라 창덕궁으로 출근.

3월 23일 상동교회에서 거행된 전덕기 목사 32주기 추도식 참가.

3월 26일 안중근 의사 추도식 참가.

4월 6일 민주의원 총리 명의로 남조선 단독정부 수립을 반대한다는 견해 발표.

4월 9일 돈암장으로 이승만을 방문하고 정당에 불참할 것을 결의.

4월 10일 대한독립촉성국민회 지방지부 결성 대회에 참석하여 격려사.

4월 11일 창덕궁 인정전서 27주년 대한민국임시정부 입헌 기념식 거행.

4월 21일 명동성당 방문.

4월 22일 이시영과 함께 공주 마곡사 방문.

4월 23일 미소공위 5호성명에 대한 대책 협의를 위해 민주의원 회의 참석. 한국독립당 중앙부서 결정, 중앙집행위원장에 추대.

4월 25일 도쿄로부터 서울에 도착한 윤봉길 의사 유품을 경교장에 안치.

4월 26일 예산에서 거행되는 윤봉길 의거 기념식 참석차 서울 출발.

4월 27일 윤봉길 의사 생가 방문. 의거 14주년 기념식 추모사.

4월 29일 서울운동장서 열린 윤봉길 의사 의거 기념 대회 참석하여 기념 식사.

5월 10일 와병으로 성모병원에 입원 중 이승만의 문병을 받음.

6월 15일 부산공설운동장서 거행된 삼의사(이봉창, 윤봉길, 백정기) 추모회 참석.

6월 16일 삼의사 유골과 함께 서울에 도착. 태고사에 유골 안치.

6월 29일 이승만이 총재로 있는 민족통일총본부 부총재 취임.

7월 4일 오로지 조국의 독립과 동포의 행복을 위하여 분투할 것이라는 내용의 '동포에게 고함' 성명 발표.

7월 7일 효창공원에서 거행된 삼의사 국민장 참석.

7월 20일 경기도 남양주에 있는 고종의 능인 홍릉 참배.

7월 31일 ~ 8월 2일 제주도 방문.

8월 15일 미군정청 광장서 열린 해방 1주년 기념 시민경축대회에서 축사.

8월 17일 강원도 춘천에 있는 의암 유인석 묘소 참배.

9월 14~30일 부산·진해·마산·진주·통영·여수·순천·보성·목포·함평·나주·광주
·김제·이리·군산·강경 방문.

10월 11일 군정청으로 하지 사령관을 방문하고 좌우합작에 관해 요담.

10월 14일 좌우합작의 목적은 민족통일에 있으므로 개인 자격으로 지지한다는 내용
의 담화 발표.

10월 18일 반도호텔로 하지 사령관을 방문하고 민생 문제와 테러 사건 등에 관해 요담.

11월 18일 좌우합작 지지 담화 발표.

11월 19일 인천감옥에 수감되어 있는 자신을 석방시키기 위해 전 재산을 바친 강화
김주경가家 방문.

11월 20일 한국독립당 강화군 지부와 전등사 방문.

11월 30일 개성 선죽교 방문.

12월 3일 황해도 장단 고량포 경순왕릉 참배.

12월 8일 건국실천원양성소 기성회 준비위원회위원장 취임.

12월 22일 미국의 조선경제원조계획에 감사한다는 내용의 전문을 트루먼 대통령과
마셜 국무장관에게 발송.

12월 28일 경운동 천도교당에서 거행된 나석주 의사 20주기 추도식 참석.

12월 30일 돈암장에서 미소공위 미측 수석대표 브라운 소장 및 조완구 등과 함께 공
위 재개문제 등에 관해 토의.

* 3월 제1차 미소공동위원회 개최. 5월 여운형, 김규식, 좌우합작운동 추진. 6월 이승만, 정읍에서 남한
  단독정부 수립 발언. 12월 남조선과도입법의원 개원.

1947년(72세)

1월 24일 경교장서 결성된 반탁독립투쟁위원회에서 위원장으로 추대됨.

2월 4일 반탁운동 방안에 대해 담화.

2월 10일 독립진영의 재편성·좌우합작·신탁통치·삼팔선·국제관계 등 국내외 제반

문제에 대한 견해 발표.

2월 13일 탁치조항 삭제 등을 요구하는 메시지를 미국 신문기자단에 전달.

2월 28일 3·1독립선언 기념일을 맞아 삼천만 동포는 자주독립에 대한 신념을 갖고 이를 위해 분투할 것을 요청하는 소견 피력.

3월 1일 서울운동장서 거행된 기미독립선언기념 전국대회 참석.

3월 3일 국민의회 긴급대의원대회에서 대한임정 부주석으로 추대.

3월 20일 원효로 원효사에서 거행된 건국실천원양성소 개소식 참석.

4월 11일 창덕궁 인정전에서 열린 대한민국 임시입헌 기념식 참석.

5월 4일 건국실천원양성소 1기생 수료(명예소장 이승만, 소장 김구).

5월 12일 한국독립당 대회에 참석하여 발언.

5월 13일 한국독립당, 중앙집행위원회에서 위원장으로 다시 선출됨.

5월 18일 미소공위 미측 수석대표 브라운 소장의 요청에 의해 덕수궁서 공위 참가 문제에 대해 요담.

5월 19일 하지 사령관 초청으로 공위 참가 문제에 관해 요담.

5월 20일 민주의원 회의에 참석하여 공위 참가 문제 논의.

5월 23일 이승만과 연명으로 '탁치' 해석과 '민주'의 정의에 대해 공동 질의서 제출.

6월 5일 미소공위 참가 거부는 각 정당이 자의적으로 결행하라고 성명.

7월 2일 하지 사령관이 미소공위에 항의하는 수단으로 김구가 테러 행위를 모의하고 있다는 내용의 편지를 이승만에게 보낸 것에 대해 항의하는 서한 발송.

7월 10일 창덕궁 인정전서 개최된 한국민족대표자대회 참석.

7월 24일 1932년 4월 상하이에서 거행된 윤봉길 의사 폭탄투척사건으로 일경의 체포 위험에 처한 김구를 안전하게 피신시켜 준 피치 박사 내외와 경교장에서 요담.

8월 15일 서울운동장서 개최된 해방 2주년 기념식에 참석하여 만세 삼창 선창.

9월 11일 러치 미군정장관 서거를 애도하는 내용의 담화 발표.

9월 19일 한반도 문제를 유엔에 상정한다는 마셜 미 국무장관 발표에 대해 유엔에 상정할 경우 한인에게 의사 발표의 기회를 주는 것이 가장 적절한 민주적 해결 방법이라는 내용의 담화.

10월 5일 서울운동장서 개최된 마셜안 지지 국민대회 참석, 유엔총회에서 북한의 무장을 해제하도록 하고 자유로운 입장에서 남북을 통한 총선거를 실시하여 통일정부를 수립하자고 연설.

10월 15일 경교장을 방문한 미소공위 미측 수석대표 브라운 소장과 요담한 후 브라운 소장 관사로 옮겨 장시간 논의.

11월 24일 유엔 결정에 대한 소련의 거부로 인해 실시되는 남한만의 선거는 국토 양단의 비극을 초래할 것이라고 경고.

12월 3일 김구와 이승만의 지시에 의해 국민의회와 한국민족대표자대회 합작 결의.

12월 4일 국민의회와 한국민족대표자대회의 합작은 경하할 일이며 자신은 이승만 박사와 자주독립을 즉시 실현하자는 목적에 대해 완전한 합의를 보았다고 담화.

12월 8일 서울시청 앞, 장덕수 장례식 참석.

12월 14일 이화장으로 이승만을 방문하여 총선 참가 문제 등에 관해 장시간 논의.

12월 15일 『백범일지』(국사원) 초판 출간.

12월 18일 경교장을 방문한 유엔한국임시위원단(이하 유엔위원단)의 중국 대표 리우위완劉馭萬과 요담.

12월 22일 유엔위원단의 임무는 남북총선거를 실시하는 데 있으므로 어떠한 경우에도 단독정부는 반대할 것이라고 하는 내용의 성명 발표.

* 7월 여운형 피살. 9월 한국 문제, 유엔에 이관됨. 11월 유엔총회에서 유엔 감시하의 한반도 총선 가결. 12월 장덕수 피살, 암살의 배후로 의심받음. 중간파 연합전선인 민족자주연맹 결성.

1948년(73세)

1월 18일 장형의 단국대학 설립 격려.

1월 25일 소련의 유엔위원단 입북 거부는 '최대의 불행'이라는 견해 발표.

1월 26일 덕수궁서 유엔위원단과 회담. 미소 양군이 철퇴한 후 남북요인회담을 하여 선거 준비를 한 뒤 통일정부를 수립해야 할 것이라는 담화 발표.

1월 28일 유엔위원단에 보내는 신속한 총선거에 의해 통일된 완전 자주적 정부만의 수립을 요구한다는 내용의 의견서를 발표.

2월 6일 경교장을 방문한 김규식 박사와 요담한 후 9시 30분 함께 유엔임시위원단 메논 의장을 방문하여 회담. 경교장으로 메논 의장을 초청하여 장시간 환담.

2월 9일 김규식 박사와 연명으로 메논 의장에게 남북지도자회담 개최를 위해 협조해 줄 것을 요청하는 서신 발송.

2월 10일 통일정부를 수립하기 위해 미소 양군을 철퇴시키며 남북지도자회담을 소집할 것 등을 주장하는 내용의 성명 '삼천만 동포에게 읍고함' 발표.

2월 13일 김규식 박사의 방문을 받고 남북요인회담 추진책에 관해 협의.

2월 19일 하지 사령관의 초대로 김구, 김규식, 이승만 회담.

2월 22일 낙동강 철교 준공식 참석차 경북 왜관 방문.

2월 29일 기미독립선언기념일 맞아 북한의 '인민공화국' 수립이나 남한의 '중앙정부' 수립은 모두 조국을 영원히 양분시켜 도탄에 빠진 동포를 사지死地에 넣는 것이라는 담화 발표.

3월 1일 경교장에서 열린 독립선언 기념행사에서 남한 선거에 불응할 것이라고 천명.

3월 3일 시내 모처에서 김규식 박사 및 홍명희와 함께 남한 선거 문제 토의.

3월 5일 경교장을 방문한 유엔위원단 중국 대표 리우위완과 선거에 관해 요담.

3월 7일 독촉국민회가 선출한 유엔위원단과 협의할 민족대표단 33인에 참가 거부.

3월 8일 2월 25일 북한에 남북회담 제의했다고 기자회견서 발표.

미 군사 법정, 장덕수 살해 공판에 증인으로 출석하라는 소환장을 김구에게 발부.

이승만 박사, 장덕수 살해 사건에 항간에 도는 김구 관련설을 일축.

3월 11일 장덕수 피살 사건에 증인으로 나온 것은 미국 대통령 명의로 불렀기에 국제 예의를 존중하고자 함이며, 자신이 관련된 것처럼 발표한 것은 모략이라고 언명.

3월 12일 김구를 포함한 7인(김규식, 김창숙, 조소앙, 조성환, 조완구, 홍명희), 선거가 가능한 지역에서만의 총선거 불참한다고 공동성명.

장덕수 살해 사건 증인으로 군사 법정 출석하여 증인 심문을 받음.

군사 법정에서 증인 심문이 끝난 후 효창공원 삼의사 묘 참배.

3월 15일 두 번째 증인 심문차 군사 법정에 출두했으나 증언 거부하고 퇴정.

천도교 강당서 개최된 한국독립당 중앙집행위에서 전 민족이 단결하여 남북통일 자주정부 수립을 위해 싸우지 않으면 안 된다고 역설.

3월 16일 경교장을 방문한 민주독립당 대표 홍명희와 요담.

3월 20일 건국실천원양성소 창립 1주년 기념식서 치사.

3월 31일 남북정치회담과 관련하여 김일성, 김두봉과 주고받은 서신의 내용 발표.

4월 2일 경교장을 방문한 김규식, 홍명희, 이극로, 김붕준 4인과 심야까지 남북협상에 관해 논의.

4월 15일 얼마 남지 않은 여생을 조국의 통일독립에 바치려는 것이 북행을 결정한 목적이며, 북행에서 돌아오지 못하는 경우가 있더라도 통일 독립을 위해 끝까지 투쟁하였다고 동포에게 전해 주기를 바란다는 결의 표명.

4월 19일 학생들의 북행 만류에 분열이냐, 통일이냐, 자주냐, 예속이냐 하는 이러한 중대한 시기에 민족의 정의와 통일을 위해 남한 삼천만 동포가 억제하여도 자신의 결의대로 가겠다는 비장한 결의를 표명하고 서울을 떠남.

4월 24일 김구를 포함한 남한의 김규식, 조완구, 홍명희가 북한의 김일성, 김두봉 등과 만나 정치 문제에 관한 의견 교환.

4월 26일 김구, 김규식, 김일성, 김두봉 회담.

5월 4일 평양을 출발하여 귀경 도중 황해도 사리원서 점심 식사.

5월 5일 오후 8시 30분 서울 도착한 후 크게 소득이 있다고 말할 것은 없지만 앞으로 남북의 동포는 통일적으로 영구히 살아 나가야 된다는 기초를 든든히 닦아 놓았다고 소감을 밝힘.

5월 20일 한국독립당이 경교장서 주최한 남북협상대표단 환영 행사 참석.

6월 7일 김규식과 공동으로 남북통일국민운동 전개에 관한 성명 발표.

6월 24일 경교장서 가진 기자회견서 단독정부를 수립하려는 노력을 하지 말고 민족의 역량을 집결하여 미소 양군을 철퇴시키고 남북통일의 독립정부를 세우자고 강조.

6월 24 ~ 26일 김규식 박사와 함께 여주 신륵사, 석문사 방문.

6월 25일 단국대학 전문부 1회 졸업식 참석.

7월 1일 임시정부 법통의 계승은 통일정부를 수립하여야만 되며 반조각 정부로서는 계승할 근거가 없다는 견해 피력.

7월 4일 오후 2시 경교장서 김규식 박사 등과 남북통일운동기구 설치하는 문제 논의.

8월 2일 노량진 사육신 묘 참배.

8월 14일 정부 수립과 해방 3주년을 맞아 "비분과 실망이 있을 뿐"이라며, 새로운 결심과 용기를 가지고 강력한 통일독립운동을 추진해야겠다는 내용의 담화 발표.

8월 20일 모친(곽낙원), 부인(최준례), 아들(김인)의 유해를 정릉에 안장.

9월 22일 이동녕, 차리석 유해 봉환식(원서동 휘문중학교) 참석.

10월 1일 광주의 전남 삼균학사 개소식에서 남북통일의 평화적 해결 역설.

광주 관음사에서 기자들에게 남북을 통한 절대적인 자유 분위기 속에 전국 총선거를 실시하여 자주민주 통일정부를 수립해야 한다는 소신을 밝힘.

10월 7일 곽낙원 등 묘비 제막식.

10월 13일 동대문 훈련원 부민회장에서 거행된 조성환 사회장 참석.

10월 20일 민정 시찰과 혁명가 유가족 방문을 위해 대구 등 경상북도 지방 순회 방문.

11월 1일 미소의 협조로 양군이 철퇴하면 외세로 인해 분할되었던 한국의 강토와 민족은 단일민족의 자연 상태가 회복될 것이며, 조국의 통일을 위해 반대파와 타협할 만한 열의를 가진 애국적 민주주의 지도자들은 통일정부 수립의 역사적 과업을 실천할 수 있을 것이라는 내용의 담화 발표.

12월 9일 건국실천원양성소 5기 수업 기념.

12월 18일 둘째 아들 김신의 결혼식 참석.

12월 28일 유엔위원단의 내한을 맞아 남북 총선거를 기대한다고 언명.

* 1월 유엔한국임시위원단 입국. 2월 단독선거를 반대하는 2·7투쟁 전개. 4월 제주도에서 4·3사건 발생. 5월 5·10총선거. 제헌국회 개원. 7월 국호를 대한민국으로 결정. 초대 대통령 이승만, 부통령 이시영 피선. 8월 15일 대한민국정부수립 선포. 9월 9일 조선민주주의인민공화국 수립. 10월 여순사건 발발.

1949년(74세)

1월 1일 국제적으로 평등한 입장에서 친선을 촉진하면서 삼천만의 이익을 위해 정치·경제·교육의 균등을 기초로 한 자주독립의 조국을 갖기 원하며, 반쪽의 조국이 아니라 통일된 조국을 원한다는 내용의 연두 담화 발표.

1월 3일 경교장을 방문한 김규식 박사와 40분간 요담.

1월 18일 내수동으로 환갑을 맞은 장형 집 방문.

1월 22일 기자회견에서 유엔위원단에 협력할 의사 있음을 표명.

1월 27일 금호동서 개최된 백범학원 개소식 참석.

2월 1일 유엔위원단의 방한에 대해 "한국 문제에 대해서는 아무리 국제적 원조가 있을지라도 필경 한국 사람의 손으로 하지 아니하면 해결할 수 없다"고 말하고, 서울에서 통일을 위한 남북협상이 있기를 희망한다고 제언.

2월 5일 흉상 제작을 마치고 2층 서재에서 기념사진.

3월 8일 성균관 명륜당에서 개최된 유도교도원 1회 입학식 참석.

3월 14일 마포구 염리동서 개최된 창암학원 개원식 참석.

3월 20일 건국실천원양성소 개소 2주년 기념식 참석.

3월 24일 경교장을 방문한 유엔위원단 인도 대표에게 네루의 아시아 민족 단합 노력에 감사의 뜻 전달. 경교장을 방문한 유엔위원단 시리아 대표와 요담.

4월 15일 건국실천원양성소 7기 수업기념식 참석.

4월 19일 남북협상 1주년을 맞아 "1차 협상을 실패로 규정짓는 것은 조급한 생각"이라고 말하고 남북의 통일을 위한 협상은 반드시 있을 것이라고 언급. 군산 도착.

4월 20일 군산공설운동장서 시국대강연회 개최.

4월 21일 한국독립당 군산 지부가 주최한 건국실천원 단기 양성 강좌 개강식 참석. 전남 한국독립당 군산 당부·옥구군 당부결성대회 참석.

4월 22일 전주 도착 후 전주 기자들과의 회견에서 3차 대전은 발생하지 않을 것이며, 3~4개월 내에 미군은 철수할 것으로 믿는다고 언급.

4월 26일 총재 취임 기념으로 남산 석호정 방문.

4월 27일 경교장에서 가진 기자와의 회견에서 한미군사협정이 독립국가의 주권을 침해하지 않고 내전을 목적으로 하지 않는다는 두 가지 조건이 충족되면 반대하지 않겠다고 언명.

4월 29일 예산에서 거행된 윤봉길 의사 제막식 참석.

5월 15일 건국대학교 전신 조선정치학관 개관 3주년 기념식에 참석하여 축사.

5월 17일 김구가 희사한 돈(25만 원)으로 세운 창암공민학교 개교.

5월 31일 유엔위원단과의 협의에서 평화통일의 문호를 열기 위해 우선 남북 민간지도자회담 혹은 정당사회단체대표회의를 개최해서, 통일을 실현하기 위한 가능한 방법을 협의해 보는 것이 좋겠다고 제안.

6월 4일 성균관 대성전서 거행된 유도교도원 1회 졸업식 참석.

6월 5일 건국실천원양성소 8기 수업 기념식 참석.

6월 9일 행주산성 방문.

6월 14일 한국독립당 제7회 전국대표대회, 삼의사 묘 참배.

6월 19일 봉원사 방문.

6월 22일 성균관대학 전문부 2회 졸업식 참석 후, 경교장을 방문한 성균관 2회 졸업생과 기념사진 촬영.

6월 26일 경교장에서 안두희의 저격으로 절명.

* 1월 미국, 대한민국을 승인. 반민특위 발족. 5월 국회 프락치 사건. 6월 농지개혁법 공포.

1962년 (서거 13주년)

3월 1일 대한민국건국공로훈장 중장重章에 추서.

1969년 (서거 20주년)

8월 23일 남산에 백범 김구 동상을 세움.

1999년 (서거 50주년)

4월 9일 어머니 곽낙원 여사와 장남 김인, 국립대전현충원 애국지사 제2묘역으로 이장.

4월 12일 부인 최준례 여사, 효창공원으로 이장.

6월 26일 서거 50주년 추도식.

2002년(서거 53주년)

10월 22일 서울 용산구 효창동에 백범김구기념관 준공.

2016년(서거 67주년)

공군 참모총장 역임한 차남 김신, 5월 21일 공군장으로 국립대전현충원 장군 제2묘역에 안장.

참고 문헌

[국내 논저]

강만길·심지연, 『항일독립투쟁과 좌우합작』, 한울, 2000.

경인일보특별취재팀, 「인천축항과 갑문」, 『격동 한 세기, 인천이야기』(상), 다인아트, 2001.

고재형, 김형우·강신엽, 『역주 심도기행』, 인천대학교인천학연구원, 2008.

국민문화연구소, 『항일혁명가 구파 백정기 의사』, 국민문화연구소출판부, 2004.

금호4가동주민자치위원회, 『무쇠막 사람들: 금호동 이야기』, 금호4가동주민자치위원회,
     2014.

김구, 「밀 한 알이 따에 떠러저 죽으면」, 『활천』(Vol. 230), 기독교대한성결교회, 1946.

김구 저, 도진순 주해, 『백범일지』, 돌베개, 1997.

김구 저, 도진순 편, 『백범어록』, 돌베개. 2007.

김구, 『백범일지』, 국사원, 1947.

김명섭·김석원, 「김구와 이승만의 지정 인식: 일제강점기를 중심으로」, 『한국정치학회보』
     제43권 3호, 2009.

김우전, 『김구 선생의 삶을 따라서: 마지막 광복군의 이야기』, 하나&HN, 2012.

나영일, 『우리 활터 석호정』, 서울대학교출판문화원, 2012.

도진순 외, 『금호동의 백범학원과 김구주택: 기념비를 건립하며』, 성동구청, 2013.

도진순, 「1895~96년 김구의 연중의병과 치하포사건」, 『한국사론』 38, 서울대학교국사학과, 1997.

도진순, 「해제-『백범일지』 조직 검사」, 『정본백범일지』, 도진순 탈초·교감, 돌베개, 2016.

도진순, 「해제-동학·의병운동」, 『백범김구전집』 제3권, 대한매일신보사, 1999.

도진순, 『한국민족주의와 남북관계』, 서울대학교출판부, 1997.

박성준·한시준·이홍구·염송심, 『법정 장형의 독립운동과 단국대학 설립운동』, 단국대학교출판부, 2014.

박헌용 편술, 이연세 외, 『역주 속수증보강도지』(하), 인천광역시역사자료관, 2016.

백범김구선생기념사업협회·백범학술원·백범김구기념관, 『백범 김구 사진자료집』, 2012.

백범김구선생전집편찬위원회 편, 『백범김구전집』 제2권, 대한매일신보사, 1999.

백범김구선생전집편찬위원회, 『백범김구전집』 제11권(사진·휘호), 대한매일신보사, 1999.

백범김구선생전집편찬위원회, 『백범김구전집』, 대한매일신보사, 1999.

백범학술원 편, 『백범 김구 선생 언론집』(하), 나남출판, 2004.

서중석, 『남북협상: 김규식의 길, 김구의 길』, 한울, 2000.

선우진 저, 최기영 편, 『백범 선생과 함께한 나날들』, 푸른역사, 2009.

손세일, 「과도입법의원의 의원선거에서 압승」, 『이승만과 김구』, 조선뉴스프레스, 2015.

손세일, 「손세일의 비교 평전(91) 한국 민족주의의 두 유형 – 이승만과 김구」, 『월간조선』 11월호, 2011.

손세일, 『이승만과 김구』(전 7권), 조선뉴스프레스, 2015.

손장원, 「인천감리서 터의 구성과 변천과정 연구」, 『인천학연구』 27호, 인천대학교인천학연구원, 2017.

숭선전사편찬위원회, 『숭선전사』, 대보사, 2016.

심산연구회, 『김창숙 문존』, 성균관대학교출판부, 2014.

심지연, 『미소공동위원회 연구』, 청계연구소, 1989.

심지연, 『해방정국 논쟁사 I』, 한울, 1986.

안재홍선집간행위원회 편, 『민세 안재홍 선집』(2), 지식산업사, 1983.

양윤모, 「김구와 인천 그리고 탈옥-차하포사건의 전말」, 『초판본 백범일지』, ㈜미르북컴퍼니, 2017.

엄항섭 편, 『김구 주석 최근 언론집』, 백범김구선생기념사업협회, 1948.

유동식·최종고, 『화가목사 이연호 평전』, 한들출판사, 2014.

윤선자, 「해방 이후 백범 김구의 호남 방문」, 『한국독립운동사연구』 59, 2017.

윤정란, 「환국 전후 백범 김구의 숨은 역사」, 『백범 김구 선생의 환국 후 정책과 활동』, 백범 학술원, 2008.

이덕주·조이제, 『강화기독교100년사』, 강화기독교100주년기념사업역사편찬위원회, 1994.

이해경, 『나의 아버지 의친왕』, 도서출판진, 1997.

이현희, 『석오 이동녕과 백범 김구』, 일조각, 1999.

이훈익, 『인천지지』, 대한노인회인천직할시연합회, 1987.

이희환, 「근대 초기 '새인천'의 형성과정」, 『인천아 너는 엇더한 도시?-근대도시 인천의 역사·문화·공간』, 역락, 2008.

이희환, 「백초 유완무의 생애와 민족운동」, 『인천학연구』 10호, 인천대학교인천학연구원, 2009.

전점석, 「철거되고 부서진 김구선생 친필 충무공 시비」, 『진해문화』 13, 진해문화원, 2015.

정병준, 『우남 이승만 연구』, 역사비평사, 2005.

조규하·이경문·강성재, 『남북의 대화』, 고려원, 1987.

촘스키, 놈, 『인간이란 어떤 존재인가』, 구미화, 와이즈베리, 2017.

최완수, 『명찰순례』(3), 대원사, 2000.

한국가톨릭대사전편찬위원회, 『한국가톨릭대사전』, 한국교회사연구소, 1985.

한국교회사연구소, 『명동본당사 : 1882-2006』, 한국교회사연구소, 2007.

한산면지편찬위원회, 『한산면지』, 한산면지편찬위원회, 2012.

황경규, 『촉석루』, 사람과나무, 2011.

황정덕, 『우리고장 문화유산』, 정문애드테크, 2007.

황정덕, 『진해시사』, 진해향토문화연구소, 1987.

[국외 논저]

Carlyle, Thomas, *On Heroes, Hero-worship and the Heroic in History* (London : Oxford
　　University Press, 1841)

G-2 Weekly Summary No.56(1946.9.18.~10.6.)

Herodotus, *The Histories.*

HQ, USAFIK G-2 Periodic Report-駐韓美軍政報日誌(1946.2.13.~1946.9.16.)2, 한림대 학
　　아시아문화연구소 영인간행, 1988.

HQ, USAFIK G-2 Periodic Report-駐韓美軍政報日誌(1946.9.17.~1947.3.31.)3, 한림대 학
　　아시아문화연구소 영인간행, 1988.

Price, Scott T., 2008, 'The Forgotten Service in the Forgotten War: The U.S. Coast
　　Guard's Role in the Korean Conflict', U.S. Coast Guard website, November 10,
　　2008, 1-2, *http://www.uscg. mil/history/articles/Korean_War.asp.*

Rane, R. A., *Ambassador in Chains : The Life of Bishop Patrick J. Byrne : 1888-1950* (New
　　York : P. J. Kenedy, 1951)

Rousseau, J. J., *Reveries of a Solitary Walker* (1782)

Scranton, W. B., 'Historical Sketch of the Korea Mission of Methodist Episcopal
　　Church,' Korea Repository, July, 1898, Vol. V, No. 7.

The Korea Field, Nov. 11 (1904)

Thucydides, *The History of the Peloponnesian War.*

[기사]

『경향신문』, 1969년 8월 23일 자

『경향잡지』, 1949년 8월호(Vol. 43, No. 1013)

『국민일보』, 2013년 6월 25일 자(박재찬, 「6월 26일은 크리스천 백범 소천 64주기: 김구 선생 의
  신앙은?」)

『동아일보』, 1945년 7월 7일 자, 1946년 7월 24일 자

『불교신문』, 1998년 3월 10일 자, 2017년 6월 1일 자

『서울신문』, 1949년 4월 17일 자(김구, 「소아병과 명의: 손양원 목사처럼」)

『조선왕릉제향』, 전주이씨대동종약원, 2016년

『중앙일보』, 2017년 12월 6일 자(줄리아 여사 별세 기사)

『한겨레신문』, 2016년 9월 27일 자(곽병찬, 「이토를 떨게 한, 전덕기 목사와 청년들」)

[기타 자료]

국사편찬위원회 한국사데이터베이스 http://db.history.go.kr

전덕기 목사 연표, 「전덕기, 왜 전덕기인가?」, 전덕기 목사 서거 100주년 추모식 및 학술대
  회(충무아트홀, 2014년 3월 13일)

면담자(신복룡)

김명구: 연세대학교 교수, 목사

김종설: 상동교회 민족교회연구소 사무국장, 상동교회 집사

선암 석인철 스님: 대한불교 태고종 봉원사 주지

손윤탁: 남대문교회 담임 목사

양인성: 천주교 한국교회사연구소 연구원

이보라: 덕흥사적연구회 부회장, 종묘제례 전수자, 종친

이성수: 『불교신문』 기자

이해경: 의친왕의 딸(전 컬럼비아대학교도서관 한국 서지 사서)

정병준: 이화여자대학교 사학과 교수

백범의 길 – 조국의 산하를 걷다

서울·경기·인천 편

1판 1쇄 인쇄 2018년 6월 14일
1판 1쇄 발행 2018년 6월 26일

기 획 (사)백범김구선생기념사업협회
집 필 김명섭 심지연 도진순 신복룡 이희환
펴낸이 김영곤
펴낸곳 아르테

미디어사업본부 본부장 신우섭
책임편집 전민지 이지현 인문교양팀 장미희 디자인 어나더페이퍼
영업 권장규 오서영 마케팅 정지은 정지연 제휴 류승은 제작 이영민

출판등록 2000년 5월 6일 제406-2003-061호
주소 (10881) 경기도 파주시 회동길 201 (문발동)
대표전화 031-955-2100 팩스 031-955-2151 이메일 book21@book21.co.kr

ISBN 978-89-509-7574-6 04980
ISBN 978-89-509-7580-7 (세트)
아르테는 (주)북이십일의 브랜드입니다.

(주)북이십일 경계를 허무는 콘텐츠 리더

아르테 채널에서 도서 정보와 다양한 영상자료, 이벤트를 만나세요!
방학 없는 어른이를 위한 오디오클립 〈역사탐구생활〉
페이스북 facebook.com/21arte 블로그 arte.kro.kr
인스타그램 instagram.com/21_arte 홈페이지 arte.book21.com